SOTHACH
a SGLYFATH

Argraffiad cyntaf: Awst 1993

ⓗ Y Lolfa 1993

Cyhoeddir dan Gynllun Comisiynu'r Cyngor Llyfrau
Cymraeg. Dymuna'r cyhoeddwyr gydnabod cymorth
Adrannau Golygyddol a Dylunio'r Cyngor.

Lluniau: Marc Vyvyan-Jones

Rhif Rhyngwladol: 0 86243 296 0

Argraffwyd a chyhoeddwyd yng Nghymru gan
Y Lolfa Cyf., Talybont, Ceredigion SY24 5HE;
ffôn (0970) 832 304, ffacs 832 782.

SOTHACH
a SGLYFATH

ANGHARAD TOMOS

I
STWMP
am ddianc o
Gyrn Wigau

Dwyn Sniffyn

Dyma fo Sglyfath. Mae o'n greadur an-
nymunol iawn. Ac os oes rhywfaint o synnwyr
cyffredin gennych chi, mi gaewch y llyfr hwn
yn glep y munud yma, achos po leiaf y gwydd-
och chi am Sglyfath, gora i gyd. Dydi plant
bach da ddim yn darllen am Sglyfath. Yn wir,
dydyn nhw ddim hyd yn oed yn dweud ei
enw.

Gan mai dim ond plant drwg sy'n darllen y dudalen yma, mi a' i ymlaen i ddweud y stori. Ond os cewch chi eich dychryn, eich bai chi fydd o. Peidiwch â dweud na chawsoch eich rhybuddio.

Falle nad plentyn drwg ydych chi, dim ond plentyn da busneslyd. Falle eich bod chi ond wedi troi i'r dudalen yma i weld beth sy'n digwydd nesa. Wel, mi ddeuda i wrthoch chi.

Mae Sglyfath yn dwyn plant bach busneslyd.

Peidiwch â meddwl eich bod chi'n saff am eich bod yn darllen llyfr, ac yn cymryd arnoch nad oes dim yn bod, achos dyna beth oedd Sniffyn yn ei wneud.

Un o'r plant da busneslyd rheini oedd Sniffyn, ac roedd o newydd gael ei swper un noson ac yn barod i fynd i'w wely, ond roedd o'n methu'n lân â rhoi'r gorau i'w lyfr. 'Paid ti â throi tudalen arall,' meddai ei fam, 'mae 'mhell wedi amser gwely.' Ond roedd Sniffyn am wybod beth oedd yn digwydd nesa, felly trodd y dudalen.

Welodd Sniffyn mo'i wely y noson honno. Daeth Sglyfath heibio a'i gipio i ffwrdd i'w gastell yng Ngyrn Wigau. A fan'no mae o nawr— yn ei gôt wely a'i slipars, yn difaru ei enaid ei fod o wedi troi tudalen.

Mae'n amlwg fod pwy bynnag ohonoch chi sydd wedi darllen cyn belled â hyn, yn enwedig ar ôl y stori ddiwetha 'na yn chwilio am

drwbwl, felly waeth i mi ddweud yr hanes yn llawn. A dydw i ddim am gadw dim rhagddoch chi, achos mae'n amlwg nad ydych *chi* ddim yn blentyn neis, neis.

Pan ydych chi'n rhywun mor ddrwg â Sglyfath, dydych chi ddim yn ofni fawr o neb. Dim ond un person oedd gan Sglyfath ei ofn, a'r person hwnnw oedd Sothach ei wraig.

Rŵan, efallai eich bod chi wedi gweld lot o bobl hyll yn eich bywyd, ond neb mor hyll â Sothach. Roedd y tipyn gwallt ar ei phen mor seimllyd fel ei fod yn sticio allan fel cynffonnau llygod mawr, ac roedd patsyn moel yn y canol.

Sothach

Bloneg

Roedd ei hwyneb fel petai wedi ei droi tu chwith, ac roedd un llygad yn fwy na'r llall. Hongian am ei chorff wnâi ei chroen, yn grychau di-siâp, ac roedd ganddi goesau tew, blewog. Roedd oglau ffiaidd arni, oglau fel caws wedi mynd yn ddrwg.

Pe bai chi yn elyn pennaf i mi, fyddwn i ddim yn dymuno i chi edrych fel Sothach.

Doedd neb yn licio Sothach a Sglyfath, a doedd dim mymryn o ots gan yr un o'r ddau am hynny. Roedden nhw'n casáu pawb yn y byd ac roedd pawb yn y byd yn eu casáu hwythau. Yn fwy na hynny roedden nhw'n casáu ei gilydd.

Un noson, roedd y ddau yn eistedd o boptu'r tân; Sothach yn cnoi ewinedd ei thraed, a Sglyfath yn pigo ei drwyn.

'Beth sydd i swper heno?' holodd Sglyfath.

'Dim byd,' atebodd Sothach.

'Hen sguthan ddiog,' meddai Sglyfath.

'Mi gei di fodloni ar ewinedd dy draed fel fi, gan nad wyt ti wedi dal dim byd, y bwbach hyll,' atebodd Sothach. Sylwodd Sglyfath fod ei wraig yn cael pryd go dda, gan fod ewinedd ei thraed mor hir, yna bu'n dawel am hir tra syllai ar y budreddi gwyrdd a bigodd o'i drwyn.

'Mi hitia i di ar dy ben efo brwsh 'ta,' meddai dan ei wynt.

'Hitia di fi, ac mi gei di weld beth ddigwyddith,' atebodd Sothach.

Rŵan doedd Sglyfath ddim wedi bwriadu taro

9

ei wraig. Fel arfer, roedd arno ormod o'i hofn. Ond gan iddi ddweud hynny, roedd gan Sglyfath ddiddordeb gwybod beth fyddai'n digwydd, felly gafaelodd mewn brwsh ac anelu at ben ei wraig. Wrth i'r brwsh ddod amdani, symudodd Sothach o'i ffordd a gadael i'r brwsh—a Sglyfath—daro'r llawr yn galed. I wneud yn siŵr na fyddai'n dod ato'i hun yn fuan, sathrodd Sothach arno'n drwm ar ei ffordd i'r gwely.

'Nos drwg,' meddai.

Canfod Stwmp

Yng nghwmni'r ddau ddifyr yma y canfu
Sniffyn ei hun, a'i waith oedd bod yn borthor y
castell. Ond gan nad oedd neb byth yn galw,
roedd bod yn borthor yn waith arswydus o
ddiflas. Fyddai neb yn galw oni bai fod rhaid.
Gadael llefrith a rhoi ras fyddai'r dyn llefrith.
Lluchio'r torthau o bell fyddai'r dyn bara. A
doedd gan y postmon ddim problem. Fyddai
neb yn sgwennu llythyrau at Sothach a Sglyfath.
Os oedd bil eisiau ei ddanfon, byddai'r postmon
yn ei roi ym mhig yr aderyn agosaf ac yn dweud
wrth hwnnw am hedfan i'r castell. Yr unig un
fyddai'n mynd a dod o'r castell oedd Sglyfath.

Os oedd Sglyfath am ddychwelyd i'r castell ni fyddai'n curo'r drws a chanu'r gloch. Y gorchymyn a gafodd Sniffyn oedd i wrando'n astud am sŵn ei feistr yn nesáu, ac yna deuai'r floedd annaearol, 'Sglyfath a ddaeth! AGOOOR! AGOR Y DDÔÔÔÔR !!!!!'

Noson gyntaf Sniffyn yn Gyrn Wigau oedd noson waethaf ei fywyd. Roedd Sothach wedi ei roi mewn stafell ddigysur yn un o dyrau'r castell. Doedd dim gwely yn yr ystafell. Yn wir doedd dim byd o gwbl yno ar wahân i hen gist. Roedd yn dywyll fel y fagddu, a dim ond golau gwan y lleuad i'w weld drwy'r ffenest. Ni wyddai Sniffyn ble yr oedd i gysgu, a doedd ganddo ddim dewis yn y diwedd, ond ceisio gorwedd yn y gist. Doedd hyn ddim yn gyfforddus iawn, gan na allai ymestyn ei goesau, ond roedd yn gynhesach na chysgu ar y llawr. Gorweddodd yn grynedig, heb feiddio cau'r caead rhag ofn iddo fygu. O, beth a roddai

yn awr am gael bod yn ôl yn ei wely bach, adref gyda Fflos y ci, a'i ben ar glustog gyfforddus, a sŵn saff Dad a Mam i lawr grisiau, ac yntau wedi cael llond ei fol o swper cynnes a phaned o siocled poeth! Roedd ei fol yn brifo o eisiau bwyd. Ar wahân i'r crystyn sych hwnnw gan Sothach wrth gyrraedd, nid oedd wedi cael tamaid i'w fwyta. Trwy'r crac yn y ffenest, clywai sŵn y gwynt tu allan, a chri'r dylluan. Dechreuodd bodiau Sniffyn grynu, ac nid yr oerni oedd y rheswm am hynny. Doedd Sniffyn ddim yn greadur dewr iawn. A dweud y gwir, roedd yn blentyn braidd yn ofnus. A dweud y gwir yn blaen, roedd yn ofnus ofnadwy.

Yna, clywodd Sniffyn y Sŵn. Sŵn traed yn llusgo yn y pellter. Pwy oedd yno? Caeodd Sniffyn ei lygaid yn dynn a cheisio gwasgu'r sŵn allan o'i glustiau, ond yn ofer. Roedd y sŵn yn dod yn nes ac yn nes. Daliodd Sniffyn ei wynt. Oedd roedd rhywun yno—bron na allai ei glywed yn anadlu!

Digwyddodd rhywbeth rhyfedd iawn wedyn. Clywodd Sniffyn sŵn caled, sŵn haearn . . . sŵn cadwyni . . . Beth yn y byd oedd yn digwydd? Roedd rhywun neu rywbeth fel petai'n llusgo cadwyni trwm tu allan i'r ystafell . . . Neidiodd Sniffyn ar ei eistedd—roedd rhywun am ei ddal a'i glymu mewn cadwyni! Fferrodd yn ei unfan wrth ddisgwyl i rywun ddod i mewn i'r ystafell, ond ni ddaeth neb. Treuliodd Sniffyn y noson gyntaf yn gwbl effro ar ei eistedd yn rhythu ar y drws.

Yr ail noson, digwyddodd yr un peth yn union. Am hanner nos, clywodd Sniffyn sŵn traed yn dod yn nes ac yn nes, a sŵn cadwyni'n cael eu llusgo. Meddyliodd Sniffyn mai'r peth gorau i'w wneud fyddai cau caead y gist, a dim ond gadael agen fach i sbecian. Arhosodd ar ddihun drwy'r nos, ond ni ddaeth dim byd drwy'r drws.

Gan nad oedd yn cysgu o gwbl yn ystod y nos, byddai Sniffyn druan yn syrthio i gysgu yn ystod y dydd, ac weithiau byddai'n anghofio agor y ddôr i Sglyfath. Canlyniad hyn fyddai fod Sglyfath yn hedfan yn syth i mewn i'r ddôr ac yn taro'i ben yn hegar. Y gosb a gâi Sniffyn am hyn oedd cael ei ben ef wedi ei daro'n erbyn y ddôr hefyd i ddysgu gwers iddo.

Wedi'r drydedd noson heb gwsg gwyddai Sniffyn fod yn rhaid iddo wneud rhywbeth, neu byddai wedi cael ei fwyta'n fyw yn ystod y nos. Wrth sefyll yn ymyl y ddôr y bore wedyn, ceisiai Sniffyn feddwl beth i'w wneud. Ond fedrwch chi ddim meddwl yn iawn am ddim byd pan mae eich stumog yn wag, ac erbyn hynny, roedd stumog Sniffyn yn wag iawn, iawn. Roedd Sniffyn yn ffodus os câi ddarn o fara wrth ei ddrws ben bore. Deuai Pwdryn â chawl dyfrllyd iddo amser cinio, a châi gawl dyfrllyd eto cyn mynd i'w wely. Yr unig wahaniaeth rhwng y ddau bryd oedd fod cawl canol dydd yn weddol gynnes, tra oedd cawl amser te yn oer. Hiraethai Sniffyn am gael rhoi ei ddannedd mewn darn o siocled, neu gacen felys. Ond yn ofer y blysiai. Roedd bywyd yr un fath yn union yn Gyrn Wigau drwy'r dydd, bob dydd.

Wedi awr neu ddwy o sefyll wrth y ddôr, byddai coesau Sniffyn yn dechrau gwanio, a'i gefn yn dechrau brifo. Nid oedd dim oll i gynnau ei ddiddordeb wrth y porth. Dim ond un ffenest oedd yno, ac yr oedd honno mor uchel fel nad oedd modd gweld dim drwyddi. Nid oedd Sniffyn wedi gweld gwair ers amser maith bellach . . . na choeden . . . nac aderyn. Dim ond cornel o'r awyr a allai ei weld drwy'r ffenest, a dim ond digon o hwnnw i ddweud wrtho a oedd yn ddiwrnod braf ai peidio. Weithiau, teimlai Sniffyn mor ddiflas fel na allai wneud dim byd ond lapio ei hun yn belen fach a chysgu mewn congl. Pan ddeuai Sglyfath ar ei draws fel hyn, byddai yn ei binsio ac yn bygwth mynd ag o i'r fan lle cadwai'r plant eraill yr oedd wedi eu dwyn, ac ni feiddiai Sniffyn holi ymhellach.

Ond roedd mor anodd cadw'n gynnes wrth y ddôr. Yr unig ddillad oedd gan Sniffyn oedd y rheini oedd amdano pan gafodd ei gipio—sef pâr o byjamas a chôt wely a sliperi. Teimlai'n wirion iawn yn gwisgo ei ddillad nos yn y dydd. Gofynnodd Sniffyn i Sothach unwaith a gâi ddillad eraill i'w gwisgo, ond dim ond chwerthin yn hyll a wnaeth honno gan ddweud ei fod yn cael hen ddigon yn barod. Pan fyddai pethau fel hyn yn digwydd, âi Sniffyn i'w ystafell, rhoi ei ben yn ei ddwylo a beichio crio. Petai ganddo ddim ond un ffrind, *rhywun* i siarad ag o, byddai'n falch.

Un dydd, daeth Pwdryn heibio, a gosod y bowlen o gawl wrth ei draed heb ddweud gair.

'Esgusodwch fi,' meddai Sniffyn. Roedd yn rhaid iddo gael siarad â rhywun. Ni chymerodd y dyn unrhyw sylw ohono. Dyn bach, blin yr olwg oedd Pwdryn gyda ffedog a het cogydd am ei ben. Nid oedd wedi bod yn gas efo Sniffyn fel yr oedd Sothach a Sglyfath wedi bod, ond nid oedd wedi bod yn glên iawn ychwaith.

'Cogydd ydych chi?' gofynnodd Sniffyn wrtho.

'Ych-a-fi,' meddai Pwdryn mewn llais blin iawn, iawn.

Edrychodd Sniffyn ar gefn y dyn bach yn cerdded i lawr y coridor. Yna edrychodd ar y cawl dychrynllyd wrth ei draed. Teimlai na allai wynebu platiaid arall o'r cawl y diwrnod hwnnw. Ac eto, roedd yn rhaid iddo fwyta rhywbeth. Yn sydyn, penderfynodd ddilyn Pwdryn. Yn dawel iawn, dilynodd ef i lawr y coridor. Roedd hon yn gêm beryglus iawn, achos pe deuai Sothach neu Sglyfath o hyd iddo yn rhywle heblaw y porth, byddai ar ben arno.

Llwyddodd i ddilyn y cogydd heb i hwnnw

sylwi nes iddo ddod i ystafell fawr yng ngwael-odion y castell. Aeth Pwdryn o gwmpas ei bethau, a rhoi proc i'r tân mawr oedd ar ganol llawr yr ystafell. Gof y castell oedd Pwdryn. Fo fyddai'n gwneud popeth yr oedd ar Sglyfath ei angen mewn haearn neu ddur, aur neu arian. Ond gan fod ganddo dân drwy'r dydd a'r nos, ef hefyd fyddai'n coginio'r bwyd. Yn anffodus, byddai'n cymysgu pethau, ac yn aml, byddech yn rhoi bynsen yn eich ceg, ac yn canfod bollten, neu yn waeth byth, byddech yn rhoi eich dannedd mewn cacen ac yn canfod hoelen bigog yn eich tafod. Fyddai pethau ddim cynddrwg pe bai'n hoelen lân, ond byddai hoelion Pwdryn wedi rhydu. Yn wir, yr oedd popeth gan Pwdryn wedi pydru.

Sylwodd Sniffyn ar y sosejis yn crogi o'r nenfwd, a darnau o anifeiliaid yn crogi ar y wal. Doedden nhw ddim yn edrych yn neis o gwbl. Meddyliai Sniffyn am y lluniau del oedd gan ei fam ar furiau ei chegin hi.

'Hei, beth wyt ti'n da yng nghegin Pwdryn?' meddai'r dyn bach gan wneud i Sniffyn neidio.

'O, helô, Pwdryn,' meddai Sniffyn gan geisio meddwl beth yn y byd oedd o'n mynd i'w ddweud nesaf.

'Chi ydi Pwdryn, y cogydd enwog, ie? Ro'n i am ddod i'ch cegin chi i ddweud cymaint ydw i'n mwynhau eich cawl blasus.'

Edrychodd Pwdryn yn hurt arno. Doedd neb wedi dweud y fath beth wrtho o'r blaen.

'Pwdryn, pam mae pen mochyn ar eich wal?'

'Ych-a-fi, cau dy geg,' meddai Pwdryn a mynd ymlaen i brocio'r tân.

Cadwodd Sniffyn yn dawel ar ôl hyn, a mentrodd at y bwrdd i weld a oedd rhywbeth gwerth ei fwyta arno. Sylwodd ar bastai stêl yr olwg. Yn rhyfedd iawn, roedd y bastai yn symud. Roedd yn sboncian i fyny ac i lawr ar y bwrdd. Doedd Sniffyn erioed wedi gweld y fath beth. Arhosodd i'r bastai fod yn llonydd, ac yna, gan wneud yn siŵr nad oedd Pwdryn yn edrych, cododd Sniffyn dop y bastai. Yno roedd llyffant yn edrych yn drist iawn. Bu Sniffyn yn hynod o ddewr, gafaelodd yn y llyffant, a'i roi 'nôl yn ei boced.

Cymerodd anadl ddofn.

'Pwdryn, gaf i ofyn cwestiwn i chi . . . Mae Sglyfath yn dweud . . . ydych chi'n nabod Sglyfath?'

'Ych-a-fi, siŵr iawn fy mod i.'

'Mae Sglyfath yn dweud, os bydda i'n fachgen drwg, yna bydd yn fy rhoi yn yr un man â'r holl blant bach eraill y mae wedi'u dwyn, a'm cadw yno. Wyddoch chi ble mae fan'no?'

'Ych-a-fi, draw yn fan'co,' atebodd Pwdryn.

'Esgusodwch fi, ond ble mae "draw fan' co"?' gofynnodd Sniffyn.

'Ych-a-fi, ym mhen draw'r seler,' meddai Pwdryn yn flin a gwrthododd ddweud rhagor.

Meddyliodd Sniffyn mai mynd fyddai orau, a

sleifiodd drwy'r drws wrth i Pwdryn roi gwaedd.

'Aargh!!!!!!!! Ych-a-fi! Deng mil gwaith ych! Mae'r llabwst llyffant yna wedi dianc o fy mhastai. Grrrrr!'

Rhedodd Sniffyn nerth ei draed.

Ochneidiodd Pwdrn, cymerodd lond llaw o flawd llif o'r llawr a llanwodd y bastai ag o.

Sleifiodd Sniffyn i'w ystafell a thynnu'r llyffant o'i boced. Roedd y creadur bach yn crynu gan ofn, ac yr oedd dagrau yn ei lygaid. Dechreuodd grio, ac roedd Sniffyn yn teimlo tosturi mawr drosto.

'Paid â bod mor drist,' meddai Sniffyn.

'Dalla i mo'i helpu,' meddai'r llyffant.

'Beth ddigwyddodd?' holodd Sniffyn.

'Bu bron i mi gael fy mwyta,' meddai'r llyffant, 'roedd Pwdryn wedi fy rhoi mewn pastai.'

'Paid poeni, rwyt ti'n saff rŵan—cei aros gyda mi yn y gist.'

'Ych-a-fi,' meddai'r llyffant. Teimlai Sniffyn fod hyn braidd yn anniolchgar.

'Dydi hynny ddim yn beth neis iawn i'w ddweud am fy nghist. Wedi'r cwbl, mae o'n well na bod mewn pastai.'

'Does gen i ddim help nad oes gen i enw neis iawn,' meddai'r llyffant.

'Ych-a-fi ydi dy *enw* di?' meddai Sniffyn mewn syndod.

'Dyna'r unig enw y galwodd Pwdryn fi

erioed. Bûm yn was ffyddlon iddo am bum mlynedd—fi oedd yn gwneud y bwyd i gyd.'

'Beth aeth o'i le?' holodd Sniffyn.

'Ro'n i'n mynd yn hen,' meddai Ych-a-fi, 'felly taflodd Pwdryn fi i mewn i bastai. Ro'n i ar fin cael fy rhoi mewn popty—pan ddoist ti ac achub fy mywyd.' Roedd llygaid y llyffant yn llawn edmygedd, a theimlai Sniffyn yn grand. Nid oedd wedi achub bywyd neb o'r blaen.

'Rwyt ti'n haeddu gwell enw nag Ych-a-fi. O hyn ymlaen, Stwmp fydd dy enw,' meddai Sniffyn.

'Diolch,' meddai Stwmp, ac aeth i gysgu.

Clywodd Sniffyn sŵn traed trwsgl yn dod tuag at ei ystafell. Neidiodd i'r gist a chymryd arno ei fod yn cysgu. Daeth Sothach i mewn a llanwodd yr ystafell ag arogl ei drewdod.

'Beth wyt ti'n da yn dy gist, y sinach diog?' gofynnodd Sothach.

'Rwy'n teimlo'n sâl, mae arna i ofn,' meddai Sniffyn.

'A finnau hefyd,' meddai Stwmp.

'Dwyt ti ddim salach na fi,' cwynodd Sothach. 'Rydan ni newydd gael pastai i swper a'i llond o flawd llif. Roedd Pwdryn wedi addo pastai lyffant arbennig, ond fe ddihangodd y llyffant. Welaist ti o?'

'Naddo,' gwaeddodd Stwmp, a bu ond y dim i Sniffyn lewygu yn y fan.

'Beth sy'n bod ar dy lais? Rwyt ti'n swnio fel llyffant . . . Wyt ti'n *siŵr* nad ti sydd wedi bwyta'r bastai lyffant?'

'Fi? Naddo! Naddo—ddim o gwbl. Dydw i ddim wedi gweld golwg o lyffant yn unman. Naddo wir.'

'Ol reit, dyna ddigon,' meddai Sothach, ond aeth Sniffyn yn ei flaen.

'A dweud y gwir, chefais i ddim swper o gwbl—dim hyd yn oed bastai blawd llif,' meddai Sniffyn.

'Dy fai di a neb arall yw hynny,' meddai Sothach, 'ddylet ti ddim tyfu mor gyflym. Grrr . . . rwy'n benderfynol o ddod o hyd i'r llyffant yna, ac mi wna i stwnsh go-iawn ohono pan gaf afael arno. Grrr!'

A chyda hynny cerddodd Sothach o'r stafell gan roi clep iawn ar y drws.

Pennod 3

Yr Ysbryd

Y noson honno cafodd Sniffyn drafferth mawr i gysgu, fel y gallwch ddychmygu os ydych chi erioed wedi ceisio cysgu ar ben llyffant. Yn y diwedd, penderfynodd gysgu ar y llawr. Gwasgodd ei lygaid yn dynn a chymryd arno fod ei glustiau wedi mynd i gysgu hefyd, ond yn ofer. O ddyfnderoedd y castell, clywodd sŵn yr ochneidio'n dod yn nes ac yn nes, yn uwch ac yn uwch. Arhosodd yn hollol lonydd, ond roedd ei drwyn yn cosi. Yna, clywodd sŵn y cadwyni'n cael eu llusgo ar hyd y llawr, a gweddïodd na fyddai'n clywed sŵn esgyrn eto. Rhy hwyr, dechreuodd yr esgyrn glecian. Pa anghenfil dychrynllyd oedd yn aros tu allan i'w ystafell?

'Sh!' gwaeddodd Sniffyn yn flin a cheisio cau ei lygaid yn dynnach. Roedd ar fin mynd i gysgu pan deimlodd yn oer drosto. Cafodd y teimlad anghyfforddus fod rhywun yn ei wylio. Roedd bron yn sicr fod rhywun yn yr ystafell. Ni allai daeru iddo glywed sŵn traed, ond roedd Rhywbeth yno'n bendant. Byddai'n dda ganddo pe bai ganddo olau.

Yn sydyn, digwyddodd rhywbeth erchyll.

Teimlodd law laith yn cyffwrdd ei wyneb ac yn tynnu'n giaidd yn ei wallt.

'Wâ! Wâ! **Wâ! WÂÂÂÂÂÂÂ!**' sgrechiodd Sniffyn, 'Help! HELP! HELP!' Byddai'n well ganddo farw na chyfarfod ag ysbryd!

'HELP!' sgrechiodd eto, ond doedd dim diben. Roedd rhywun yn tynnu yn ei wallt ac yn crafu ei wyneb. Sgrechiodd Sniffyn mor uchel nes brifo ei glustiau ei hun. Gwasgodd rhyw-beth ar ei fol, a theimlodd Sniffyn Stwmp yn sboncian oddi ar ei wyneb.

'O Stwmp, diolch i ti! Rwyt ti wedi achub fy mywyd!' meddai Sniffyn.

'Ceisio dod o hyd i'r tŷ bach ydw i,' meddai Stwmp, yn methu deall pam fod yn rhaid i Sniffyn sgrechian mor uchel dim ond am ei fod wedi neidio ar ei ben.

Y bore wedyn, cymerodd Sniffyn anadl ddofn a mynd i weld Sglyfath. Ni wyddai ble i ddod o hyd iddo. Fel rheol, y cyfan oedd yn rhaid iddo ei wneud oedd gwrando am sŵn ffraeo a cherdded i'r cyfeiriad hwnnw. Ond y bore 'ma, roedd pob man yn dawel. Mentrodd Sniffyn i'r ystafell fwyta, a dyna lle'r oedd Sglyfath yn cysgu'n drwm ac yn rhochian dros y lle. Ni wyddai Sniffyn sut i'w ddeffro ac roedd ar fin diflannu o'r ystafell pan gerddodd Sothach i mewn. Gwaeddodd gymaint nes peri i Sniffyn neidio droedfedd i'r awyr.

'Cysgu!!' bloeddiodd Sothach gan afael yn y

peth agosaf oedd ati yn y sinc. Yn anffodus i
Sglyfath, hen badell ffrio drom ydoedd.

'Wel, gobeithio y cei di freuddwydion braf,'
meddai Sothach gan guro pen ei gŵr yn galed
â'r badell.

Doedd Sglyfath erioed wedi deffro mor
sydyn. Roedd ar ganol breuddwydio ei fod
mewn gardd dlos yng nghwmni merched ifanc
hardd oedd yn dawnsio, pan deimlodd greigiau
mawr yn cael eu lluchio ato ac yn ei guro yn
galed ar ei ben. Deffrodd i weld Sothach yn ei
waldio'n ddidrugaredd. Dihangodd i ben arall
yr ystafell.

'Wyt ti wedi mynd o dy gof dywed?'
gwaeddodd Sglyfath.

'Pwy all fy meio i pan dwi'n dod i lawr am
ddeg o'r gloch y bore i ganfod fy ngŵr yn
rhochian cysgu yn ei gadair?'

'Fy nhŷ *i* yw hwn,' meddai Sglyfath yn
bwysig, 'ac mi gysgaf i yn y fan a fynnaf, pa
bryd bynnag ydw i eisiau—deall?'

'Deall yn iawn. Ac os mai dy dŷ di a neb arall ydi o, mi gei di ei lanhau o a'i olchi fo dy hun bach hefyd,' meddai Sothach, gan droi ar ei sawdl a cherdded tua'r drws. 'Wel wir,' meddai'n sydyn, 'edrychwch beth sydd yn y fan hyn—Sniffyn bach.'

'O, mae o'n dal o gwmpas ydi?' meddai Sglyfath. 'Beth wyt ti'n da yn fan hyn? Mi wyddost yn iawn mai wrth y ddôr wyt ti i fod.'

Cymerodd Sniffyn anadl ddofn, ond ni ddôi'r geiriau allan o'i geg. Cafodd well hwyl arni'r ail dro.

'Maeynaysbrydynfystafell,' meddai ar un gwynt.

'Beth?' meddai Sglyfath yn ddiamynedd.

'Mae yna ys-ysbryd yn fy stafell.'

'Ysbryd?—yn dy stafell di?' meddai Sglyfath â gwên yn ymledu dros ei wyneb. 'Wel, dyma ddysgu gwers i ti ben bore—dwy wers a dweud y gwir. Un: nid dy stafell di ydi hi, *fi* pia bob dim yn y castell yma. Dau: does yna ddim ysbrydion—iawn?'

'Iawn,' meddai Sniffyn gan lyncu ei boer, a dihangodd nerth ei sodlau oddi wrth y creadur yr oedd yn ei ofni gymaint.

Pennod 4

Sglyfath

Yn benisel, aeth Sniffyn yn ôl at y ddôr. Wrth edrych i fyny ar y ffenest, gofidiai na allai droi yn aderyn bach a hedfan drwyddi. Meddyliodd am Fflos, am ei dad a'i fam a'r ysgol. Ysgol! Roedd ysgol i'w gweld yn nefoedd o'i chymharu â'r lle hwn. Byddai'n fodlon rhoi unrhywbeth i fod yn ôl yn Ysgol Garnlas yng nghanol bwrlwm y plant ar yr iard, tu ôl i'w ddesg fach, neu yn cerdded adref efo'i ffrindiau. Byddai hyd yn oed yn falch o weld yr athrawon . . . Byddai hyd yn oed—ac roedd hyn yn ddweud mawr— yn falch o weld Sam Wmff! Bwli mawr yr ysgol oedd Sam Humphrey Jones. Byddai Sam Wmff yn ei bryfocio'n ddidrugaredd ac yn gwneud bywyd yn anodd iawn iddo. Arferai

feddwl mai Sam Wmff oedd y person gwaethaf, hyllaf, mwyaf annifyr yn y byd i gyd. Ond o'i gymharu â Sglyfath, roedd Sam Wmff yn angel.

Sut oedd o wedi cael ei hun yn y fath sefyllfa? meddyliodd Sniffyn. Nid gêm oedd hon, nid stori mewn llyfr y gallai ei gau'n glep a rhedeg i gael te. Nid rhaglen deledu ydoedd chwaith y gallai ei diffodd yn sydyn cyn iddi ddychryn gormod arno. Nid breuddwyd ydoedd y gallai ddeffro ohoni a chanfod ei hun yn ei wely bach cysurus. Yn ystod y nosweithiau cyntaf yn Gyrn Wigau, yr oedd wedi dymuno bob nos am gael deffro a chanfod ei hun adref, ond cafodd ei siomi bob tro. Erbyn hyn, roedd wedi rhoi'r gorau i ddymuno. Meddyliai'n aml beth oedd Sothach a Sglyfath yn ei wneud drwy'r dydd. Doedd neb byth yn llnau, roedd y lle fel twlc mochyn. Roedd Pwdryn yn gwneud y bwyd (wel, yn *ceisio* ei wneud), felly doedd dim amser yn mynd i goginio. Beth yn y byd mawr oeddynt yn ei wneud o un pen diwrnod i'r llall?

Doedd bosib eu bod yn ffraeo *drwy'r* amser.

Nid oedd Sglyfath yn ffraeo drwy'r amser. Yn gynnar iawn ar ôl priodi Sothach (O, erchyll ddydd!) roedd Sglyfath wedi penderfynu fod yn gas ganddo'r wraig (os oedd modd ei galw'n wraig), ac mai gorau po leiaf a welai ohoni. Yn wir, ceisiodd ei chau mewn cwpwrdd ar y cychwyn a dim ond ei thynnu allan pan oedd o eisiau bwyd, ond fe stranciodd gymaint nes malu'r cwpwrdd yn dipiau. Yr unig beth allai Sglyfath ei wneud oedd cadw'n ddigon pell oddi wrthi gyhyd ag yr oedd modd, a dyna a wnaeth. Roedd yn drefniant digon call a wnâi fywyd yn haws i'w oddef.

Yn anffodus, doedd Sothach ddim yn barod i gadw at yr un trefniant. Roedd hi mor flin efo Sglyfath am ei phriodi fel ei bod wedi penderfynu talu'n ôl iddo am weddill ei oes. Gwyddai ei bod yn mynd ar ei nerfau, ac roedd am fanteisio ar hynny. Roedd wedi byw efo fo am amser digon hir i wybod yn union sut i'w bryfocio nes ei wylltio'n gacwn. Gwyddai Sothach hefyd ei bod yn gryfach na Sglyfath, a doedd dim yn rhoi mwy o fwynhad iddi na'i golbio'n iawn. Yr unig anfantais oedd fod Sglyfath yn fwy slei na hi, ac yn aml, byddai ei driciau ef arni hi yn well na'i thriciau hi arno fo.

Beth oedd Sglyfath yn ei wneud drwy'r dydd yntê? Roedd yn treulio llawer o amser yn ei wely bob bore yn pigo ei drwyn. Fel y gŵyr pawb dyna rywbeth na ddylai neb byth ei wneud, ond roedd Sglyfath yn ei wneud drwy'r amser. Byddai wrth ei fodd yn tynnu budreddi o'i drwyn, a deuai allan yn stribedi hir fel taffi. Byddai unrhyw un arall yn clirio ei drwyn gyda hances, ond ni wyddai Sglyfath beth oedd hances. Yn hytrach, fe ddefnyddiai ddillad y gwely fel hances, ac wrth gwrs, byddai hyn yn gwneud y gwely'n lle stici iawn. Rhoddai hyn esgus cyfleus i Sglyfath aros yn ei wely drwy'r bore.

Wrth bigo ei drwyn, hoff bleser Sglyfath oedd cofio'r holl driciau da yr oedd wedi eu chwarae ar ei wraig. Cyn heddiw, yr oedd wedi rhoi smotiau ar ei drych gan wneud iddi feddwl fod afiechyd mawr arni; roedd wedi rhoi pethau dychrynllyd yn ei bwyd nes ei gwneud yn sâl sawl tro; roedd wedi rhoi ei gwely allan pan oedd yn bwrw eira, ac roedd wedi blingo'r unig gath fu ganddi erioed. I dalu'n ôl, roedd Sothach wedi rhoi pinnau yn ei esgidiau, wedi rhoi pry genwair yn ei bast dannedd a phowdr cosi yn ei ddillad.

Byddai Sglyfath wedi bod wrth ei fodd yn cael trwyn anferthol o hir y gallai ei bigo drwy'r dydd, ac er bod ganddo drwyn reit hir, byddai'r hwyl yn dod i ben ar ôl tipyn. Byddai peth o'r amser yn mynd i grafu ei glustiau, yna deuai o hyd i grachen a dechreuai bigo honno. I orffen, byddai Sglyfath yn cnoi ei ewinedd—ar ei fysedd a'i draed—ac yn gadael un ewin hir ar ei law dde fel y gallai grafu. Does dim angen dyfalu pam y cafodd yr enw Sglyfath.

Un peth yr oedd Sglyfath yn ei gasáu yn wirioneddol oedd dŵr. Roedd hwn bron iawn yn beth mor erchyll iddo â sebon. Felly, ni fyddai Sglyfath byth yn breuddwydio molchi. O ganlyniad, roedd yn drewi'n ddychrynllyd. Doedd drewdod twlc mochyn yn ddim i'w gymharu â drewdod Sglyfath. Byddai tomen sbwriel yn ogleuo'n ffres pe rhoddech Sglyfath wrth ei hymyl. Roedd llygod mawr a phryfaid glas yn eiddigeddus o allu Sglyfath i fod mor fudr.

Wedi pymtheg awr yn y gwely, byddai Sglyfath yn codi i gael ei frecwast. Creadur

barus iawn ydoedd a hoffai wneud mochyn llwyr ohono'i hun amser bwyd. Ni fyddai Sglyfath yn trafferthu rhoi creision ŷd mewn powlen, dim ond tollti beth wmbreth i'w geg a chymryd joch o lefrith o botel. Yna, byddai'n chwilota'r pantri ac yn cymryd cegiad o'r peth hwn a'r peth arall. Gan nad oedd byth yn golchi ei ddwylo, gallwch ddychmygu sut olwg oedd ar bethau wedi i Sglyfath orffen eu byseddu. Hoff arferiad Sglyfath oedd stwffio ei hun yn syth cyn mynd i'r gwely. Gallai fwyta pastai gig mewn cegiad, llowciai dysen oer mewn chwinc, dewisai ambell damaid blasus cyn gorffen y wledd gyda darn o darten a llond ceg o gwstard oer. Yna, rhag ofn y byddai eisiau bwyd yn y nos, âi a bisgedi i'r gwely gydag o. Pan syrthiai i gysgu, roedd rhyw fisged neu'i gilydd wastad ar ei hanner, ac ni fyddai Sglyfath yn trafferthu cael gwared o'r rhain. Yn hytrach, gwasgai hwy'n siwrwts bach wrth droi a throsi yn ei gwsg, a gwnâi hyn y gwely'n lle anghyfforddus iawn. Yn waeth byth, byddai'r briwsion ymhen dipyn yn llwydo, ac yn achosi mwy o ddrewdod nag erioed yn y gwely. Fe fwytâi'r llygod mawr beth ohonynt, ond mae yna rai pethau na wnaiff llygod mawr hyd yn oed eu bwyta!

Yr unig adeg y byddai Sglyfath yn gadael Gyrn Wigau oedd pan fyddai'n dwyn plant. Roedd hyn wedi bod yn bleser ganddo ers amser maith. Mewn stafell gyfrinachol yn y castell, cadwai gyfrifiadur enfawr a rhoddai hwn bob math o wybodaeth am blant yr oedd modd eu cipio. Roedd hwn yn gyfrifiadur reit flaengar a allai godi pob math o gwynion o gartrefi, waeth pa mor bell oeddynt. Pan fyddai unrhyw riant yn sgrechian, 'Pwy faga blant?' neu'n ceryddu eu plant yn flin iawn, byddai cyfrifiadur Sglyfath yn goleuo a saethai sŵn ohono ar donfedd na fedrai neb ond Sglyfath ei chlywed yn syth i'w glust chwith. Câi'r cyfeiriad a'r enw eu nodi, a gallai Sglyfath hedfan yn syth yno, yn gyflymach nag unrhyw roced, i gipio'r plentyn druan.

Yn ddi-ffael, byddai'r rhieni'n difaru siarad â'u plant yn y fath fodd ac yn canfod eu bod yn eu caru wedi'r cwbl, ond erbyn hynny, byddai'n rhy hwyr; byddai'r plant wedi mynd, a doedd dim modd dod o hyd iddynt.

Ysbryd Go-Iawn

Nid oedd Sothach yn gwneud dim byd. Petai yna wobr am fod yn ddiog, byddai Sothach wedi ennill Pencampwriaeth y Bydysawd. Doedd hi ddim mor fudr â Sglyfath, ond roedd yr un mor hoff o'i gwely. Byddai'n aros ynddo am oriau yn chwyrnu dros y lle. Ni fyddai Sothach byth yn trafferthu cribo ei gwallt yn y bore. Doedd dim cymaint â hynny ohono ar ei phen, ac roedd hynny oedd yn weddill yn glymau chwithig seimllyd. Roedd cymaint o smotiau ar ei hwyneb fel ei fod fel tirwedd y lleuad, ac ar ei thrwyn roedd y ploryn mwyaf a welsoch erioed. Ar rai dyddiau, byddai'n sgleinio'n goch, goch fel golau traffig, ac roedd hynny'n arwydd fod Sothach mewn tymer waeth nag arfer.

Un plentyn fu ganddynt erioed—a Ploryn oedd enw hwnnw. Ni chymerodd Sothach na Sglyfath unrhyw ddiddordeb ynddo. Un dydd, aeth ar goll yng nghanol yr holl lanast, a ddaru'r un o'r ddau sylweddoli ei golli.

Ni wyddai Sothach beth i'w wneud efo hi ei hun o un pen diwrnod i'r llall. Ffraeo gyda Sglyfath oedd yr unig ddiddordeb oedd ganddi.

Ni fyddai'n gwneud unrhyw waith oni bai bod rhaid, a doedd hi'n dda i ddim byd. Gwastraffodd bob munud o'i bywyd, ac roedd yn debyg o wastraffu hynny o fywyd oedd ganddi yn weddill.

Anaml iawn fodd bynnag y byddai Sniffyn yn gweld Sothach a Sglyfath, ac felly nid oeddynt yn ei boeni cymaint â hynny. Un diwrnod, nid oedd Sniffyn wedi gweld yr un creadur arall o fore gwyn tan nos, ac roedd yn edrych ymlaen at ei swper, er mai cawl oer fyddai eto, pan sylweddolodd nad oedd yn mynd i'w gael. Doedd Pwdryn ddim wedi dod ag o iddo. Roedd Sniffyn wedi arfer bod yn drist a chael ei siomi ers cyrraedd Gyrn Wigau, ond rywsut, roedd hon yn siom fwy na'r un. Does dim byd gwaeth na disgwyl yn hir am fwyd, ac yna canfod nad ydych am ei gael.

Yn ei stafell fechan, cododd gaead y gist, lle'r oedd Stwmp y llyffant, ac agor ei galon iddo.

'Stwmp annwyl, ti yw'r unig ffrind sydd gen i bellach yn yr holl fyd. Wn i ddim beth ddaw ohonof . . . os ydyn nhw'n peidio rhoi bwyd i ni, sut ydyn ni i fod i fyw?'

Wrth glywed nad oedd yn mynd i gael swper, dechreuodd Stwmp grio, ac wrth weld ei unig ffrind yn y byd yn crio, dechreuodd Sniffyn yntau grio. Buont yn crio cymaint fel y syrthiodd y ddau i gysgu yn eu dagrau.

Deffrowyd Sniffyn gan y sŵn rhyfedd a

glywai bob nos bellach—sŵn traed yn llusgo 'nôl a 'mlaen tu allan i'w ystafell, ac yna clywodd Sniffyn sŵn y cadwyni.

Arhosodd yn hollol lonydd. Stopiodd y sŵn am dipyn. Roedd Sniffyn ar fin mynd i gysgu pan glywodd sŵn arall. Dychrynodd cymaint nes syrthio allan o'r gist. Oedd o'n breuddwydio? Nac oedd. *Roedd* yna ryw ochneidio diflas yn dod o rwyle. Oedd rhywun mewn poen? Neu ai cynllwyn ydoedd i wneud i Sniffyn ddod allan o'i stafell?

Wedi codi, penderfynodd Sniffyn, er ei fod yn greadur mor ofnus, fod yn rhaid iddo fynd i wraidd y mater. Ond sut? Ceisiodd ymbalfalu i ddod o hyd i ddwrn y drws; agorodd ef a mentro i lawr y coridor. Roedd yn dywyll fel bol buwch—ni allai weld dim i'r dde na dim i'r chwith. Stopiodd yn stond. Roedd hyd yn oed yr hen gist anghyffforddus yn well na hyn. Beth petai'r anghenfil dieflig yn dod ato ac yn cydio ynddo gerfydd ei wallt?

Rhaid oedd dianc i rywle. Ym mhen pella'r coridor gwelodd rywbeth gwyn rhyfedd. Ai Rhywbeth ynteu Rhywun ydoedd? Ai gwrach mewn gŵn nos wen ydoedd? Os mai dyna beth oedd, lle'r oedd ei phen? Roedd yn rhaid i Sniffyn wynebu ei ofn gwaethaf, yr ofn oedd wedi ei arswydo ers iddo gyrraedd Gyrn Wigau. Oedd— roedd wyneb yn wyneb ag ysbryd!

Am dipyn ni allai Sniffyn symud modfedd. Roedd arno eisiau rhedeg a rhedeg hyd oni allai

redeg dim rhagor. Roedd am i'r ddaear ei lyncu. Oedd, roedd yr ysbryd yn dod yn nes! Yn y lliain gwyn yr oedd dau dwll, ac yn y ddau dwll yr oedd dwy lygad yn rhythu'n wallgof. Drwy ryw drugaredd, llwyddodd Sniffyn i symud ei goesau. Heb edrych i ble roedd yn mynd, rhedodd mor gyflym ag y gallai, gan daro'r wal bob ochr iddo i weld a ddeuai ar draws drws y gallai ddianc drwyddo. Doedd unman i ddianc iddo! Ni allai glywed yr ysbryd tu ôl iddo, ond gwyddai ei fod yno. Clywai ei anadl ar ei war. Doedd ganddo fawr o amser cyn i'r ysbryd ei larpio!

Esgyrn

Yr eiliad honno, fel petai gwyrth wedi digwydd,
cyffyrddodd llaw Sniffyn mewn dolen drws.

'Diolch byth,' meddyliodd. Trodd Sniffyn y
ddolen gan obeithio'n daer y byddai'r drws yn
agor. Oedd, roedd yn agor, a dim ond cyfle i
gamu drwyddo gafodd Sniffyn cyn i'r ysbryd ei
ddal. Clec! Caeodd Sniffyn y drws yn glep yn
wyneb yr ysbryd. Diolch byth, roedd yn saff.

O leiaf, dyna feddyliai Sniffyn. Y peth cyntaf a sylweddolodd oedd mai drws i gwpwrdd yr oedd o newydd ei agor. Yn ail, sylweddolodd fod y cwpwrdd yn llawn o'r pethau roedd o'n eu casáu fwyaf (wel, ar ôl ysbrydion, hynny yw). Dwn i ddim a ddylwn ddweud wrthych chi beth welodd Sniffyn achos efallai na chysgwch chi ddim eto am wythnos gyfan. Ond waeth i mi ddweud wrthych chi ddim, gan mai stori wir yw hon . . . Roedd Sniffyn . . . wedi cau ei hun . . . mewn cwpwrdd . . . a'i lond o . . . *esgyrn*!!!

Ar y silff uchaf, yr oedd penglog felen yn gwenu'n hyll arno. Ar yr ail silff, yr oedd esgyrn bach yn clecian chwerthin, ac ar y drydedd silff yr oedd asgwrn cefn yn giglo. Efallai na chlywsoch chi erioed esgyrn yn chwerthin, a gobeithio na chlywch chi hwy byth. Ond credwch fi, mae o'r sŵn mwya dychrynllyd yn y byd.

Doedd gan Sniffyn unman i droi. Doedd wiw iddo agor y drws gan fod ysbryd tu allan. Does dim llawer o fannau mewn cwpwrdd i guddio ynddynt. Doedd gan Sniffyn ddim ffrindiau i weiddi arnynt—nes y cofiodd am un,

'Stwmp! *Stwmp*! *STWMP*!! Tyrd i fy achub i!' Gwasgodd ei hun yn belen fechan dan y silff isaf lle na allai'r benglog syllu arno. A chwarae teg i Stwmp, clywodd Sniffyn yn gweiddi a daeth ato.

Efallai eich bod yn meddwl pa werth yw

llyffant bach pan ydych mewn helbul mawr, ond dyna ddangos cyn lleied wyddoch chi am lyffantod. Wrth glywed llais Sniffyn yn gweiddi, neidiodd Stwmp mor uchel ag y medrai, ac agor drws y cwpwrdd. Yn y tywyllwch, roedd yn anodd dweud beth oedd yn gwneud y sŵn mwyaf, p'un ai'r esgyrn yn chwerthin neu ddannedd Sniffyn yn clecian yn erbyn ei gilydd.

'Tyrd yn dy flaen,' meddai Stwmp.

'D-D-Dwyt t-t-ti ddim wedi d-d-d-ychryn?' gofynnodd Sniffyn.

'Pam?'

'Wel, d-d-drycha beth sydd yma . . . Esgyrn!' meddai Sniffyn gan grynu.

'Ia—dim ond Hergwd Sgerbwd yw hwn,' meddai Stwmp. 'Tyrd.'

Teimlai Sniffyn yn wirion braidd, a dilynodd Stwmp yn ôl i'r stafell. Aeth y ddau i gysgu yn y gist tan y bore. Roedd Stwmp yn chwyrnu dipyn bach.

Lawr yn y parlwr, roedd Sothach a Sglyfath yn eistedd o boptu'r tân—Sglyfath yn pigo ei drwyn, a Sothach yn cnoi ewinedd ei thraed. Doedd yr un ohonynt wedi bwyta ers amser cinio.

'Pryd wyt ti'n mynd i wneud swper, Sothach?'

'Gwna fo dy hun y bwbach,' meddai Sothach.

'Hen sguthan ddiog.'

'Ti sydd ar fai,' meddai Sothach, 'taset ti heb anfon Pwdryn i'w wely, byddai swper poeth yn aros amdanom.'

'Bydde wir,' meddai Sglyfath yn sbeitlyd, 'ac mewn beth hoffet ti gael blawd llif heno, yr hwch ddwl?'

'Llwga, y cnonyn anghynnes.'

'Rwyt ti mor dew gallet ti fyw ar dy floneg am wythnos,' meddai Sglyfath.

'Mae hynny'n well na byw yn fy ngwely am wythnos,' meddai Sothach. 'Ond dyna fo, efo wyneb mor hyll â d'un di, mae'n syndod dy fod yn meiddio codi o gwbl.'

'Dos o'm golwg i, ti'n drewi.'

'Dim mwy na ti, y mochyn,' meddai Sothach gan gerdded o'r stafell.

Aeth Sothach i'r gegin a gwneud y bwyd gwaethaf y gallai feddwl amdano. Roedd yn braf cael llonydd yn y gegin heb fod Pwdryn yn busnesu ym mhob dim. Rhoddodd flymonj melyn mewn powlen, pys oer ar ei ben; triog ar ben y rheini, croen banana wedi pydru ac ychydig o facwn wedi llwydo. Gorchuddiodd y cyfan gyda hufen wedi suro, a rhoddodd ddarnau o ewinedd ei thraed o'i amgylch i'w addurno. Aeth ag o at Sglyfath a'i osod yn ddestlus ar y ford.

'Dyma dy swper a chau dy ben. Rwy'n mynd i'r gwely. Nos drwg,' meddai Sothach.

Ond aeth hi ddim i'r gwely. Cuddiodd tu ôl

i'r drws a sbecian ar Sglyfath yn bwyta ei swper. Edrychodd Sglyfath ar y bowlen. Dyna ryfedd fod Sothach wedi gwneud swper iddo. Ha ha, efallai ei bod yn dechrau ei ofni o'r diwedd!

Doedd y swper ddim yn edrych yn flasus iawn, ond doedd dim gwahaniaeth am hynny. Roedd stumog Sglyfath yn sgrechian am fwyd. Llowciodd dair llwyaid i'w geg. Doedd o erioed wedi blasu dim byd tebyg. Cymerodd lwyaid arall. Doedd o'n gwella dim. Gwyddai nad oedd Sothach yn gogyddes dda iawn, ond roedd y blas yma'n wirioneddol erchyll. Cloddiodd ei lwy yn ddyfnach i weld a oedd y gweddill yn well. Dyna pryd y blasodd y triog. Cas beth Sglyfath oedd triog. Poerodd ef allan o'i geg a phesychu.

'Wa! Arg . . . ach . . . ! Pach . . . pych!' meddai Sglyfath a phoerodd ragor ar y llawr. Gwyliodd Sothach hyn gyda phleser pur. Trodd wyneb Sglyfath yn felyn. Yna trodd yn biws. Yn y diwedd, trodd yn wyrdd llachar, llachar.

'Nos drwg, drwg, drwg!' meddai Sglyfath wedi gwylltio'n gandryll.

Clywed Plentyn

Deffrodd Sniffyn y bore wedyn yn teimlo ychydig bach yn well. Doedd o ddim llawer gwell, ond o leia roedd yn gwybod lle'r ydoedd.

'Rydw i wedi bod yn meddwl am yr esgyrn hynny ddaru mi ddod ar eu traws neithiwr,' meddai Sniffyn, '... ac am yr ysbryd a welais ...a'r plant bach sydd yn y castell yma ...'

'Wyt ti?' gofynnodd Stwmp gan sboncian o amgylch yr ystafell fel rhan o'i ymarferiadau ben bore.

'Allet ti fy helpu i ddod o hyd iddynt?' gofynnodd Sniffyn.

'O'r gore,' meddai Stwmp, 'cyn belled â'n bod yn cadw'n ddigon pell oddi wrth Pwdryn—garwn i ddim ei gyfarfod o eto.'

'Paid â phoeni,' meddai Sniffyn. 'Mi gadwn ni'n ddigon pell oddi wrtho.'

Cerddodd Sniffyn a Stwmp i lawr grisiau cefn y castell nes oeddynt yn y seler. Pwyntiodd Stwmp at dwnnel hir a dweud,

'Fan'na mae'r plant.'

'Ydyn ni am fynd yno?' gofynnodd Sniffyn yn ofnus.

'Dos di, dydi'r un o'm traed i'n mynd yn agos at y lle,' meddai Stwmp. 'Beth bynnag, mae giât anferthol wedi ei chloi ym mhen draw'r twnnel.'

Yn sydyn, clywsant sŵn traed Pwdryn yn agosáu, a rhoddodd Sniffyn y llyffant yn ei boced, a cherdded i lawr y twnnel. Aeth Pwdryn i gyfeiriad y gegin, a welodd o mo'r ddau fach. Er hynny, gallai Pwdryn daeru iddo glywed arogl llyffant. Ond nid oedd hynny'n beth anghyffredin. Roedd Pwdryn druan bellach yn clywed arogl llyffant ble bynnag yr âi. Wedi cyrraedd y giât, syllodd Sniffyn tu ôl i'r barrau haearn. Ni allai weld dim gan fod drws mawr o'i flaen, ond mentrodd weiddi,

'Helô! Oes rhywun yna?' Doedd dim ateb.

'HELÔ! Atebwch os ydych chi eisiau help,' meddai Sniffyn wedyn. Ni ddaeth ymateb am amser maith, ac fel yr oedd Sniffyn ar fin anobeithio a throi ar ei sawdl yn ddigalon, clywodd lais bach crynedig yn sibrwd:

'Oes, rydyn ni eisiau help.'

Llais bachgen ydoedd, bachgen a oedd yn amlwg yn ofnus iawn.

'Sut mae eich cyrraedd?' holodd Sniffyn.

'Does yna'r un ffordd—Sglyfath yw'r unig un â'r allweddi i'r giât a'r drws.'

'Mi geisiaf ddod o hyd i ffordd,' meddai Sniffyn, er nad oedd ganddo syniad yn y byd sut. 'Beth yw dy enw?'

'Amos.'

'O'r gorau, Sniffyn ydw i . . . mi wnaf fy ngorau,' meddai, ac aeth oddi yno'n sydyn cyn iddo yntau gael ei ddal.

Ni wyddai Sniffyn a glywodd Amos y neges i gyd, ond teimlai ychydig yn well. Meddyliodd sut fachgen oedd Amos, pa liw gwallt oedd ganddo, faint oedd ei oed, a sut y cafodd ei gymryd i Gyrn Wigau.

Drwy'r dydd wedyn wrth y ddôr, ni allai Sniffyn feddwl am ddim byd arall ar wahân i Amos. Roedd llawer o bethau rhyfedd wedi digwydd yn ystod y dyddiau diwethaf. Tra oedd yn synfyfyrio, gwelodd rywbeth gwyn di-siâp ar y llawr yn dod tuag ato. Gan feddwl ei fod yn dychmygu pethau, rhwbiodd ei lygaid ac edrych eto. Roedd y lwmp gwyn yn llonydd yn awr. Beth yn y byd ydoedd? Sniffyn, paid â bod yn wirion, meddai wrtho'i hun. Dydi hwnna'n ddim ond hen gadach . . . Aeth ato i'w godi gan feddwl pwy fyddai'n gadael cadach wrth y porth. Efallai fod Pwdryn mewn gwaeth tymer nag arfer ac yn lluchio'i gylchau—neu ei gadachau yn hytrach.

Fel yr oedd yn plygu i lawr i godi'r cadach, neidiodd hwnnw. Do, fe'i gwelodd â'i lygaid ei hun! Pinsiodd ei hun i wneud yn siŵr ei fod yn effro. Roedd pethau rhyfeddach byth yn digwydd yn y castell 'ma. Beth oedd yn debyg o ddigwydd nesaf? Camodd yn ôl gan feddwl yn sydyn mai ysbryd bach ydoedd. Daeth y cadach yn ei flaen tuag ato. Camodd Sniffyn yn ôl eto.

Ie dyna beth oedd hwn, meddyliodd Sniffyn— babi ysbryd! Doedd o erioed wedi gweld babi ysbryd o'r blaen. Edrychai'n ddigon anghynnes a thamp. Efallai ei fod newydd gael bath . . .

'Sniffyn,' meddai'r ysbryd bach.

Erbyn hyn roedd gwallt Sniffyn yn bigau gan gymaint o ofn oedd ganddo.

'Sniffyn wyt ti?' gofynnodd yr ysbryd wedyn.

Wyddai Sniffyn ddim beth i'w ddweud. Llais dwfn cras oedd gan yr ysbryd a godai ofn ar y bachgen. Daliai'r ysbryd i ddod yn nes ato a chamodd Sniffyn yn ôl nes bod ei gefn yn erbyn y ddôr. Doedd o ddim yn siŵr beth allai ysbryd bach ei wneud iddo, ond doedd arno ddim eisiau gwybod ychwaith. Yn y diwedd, gwylltiodd y babi ysbryd.

'Ai Sniffyn wyt ti? Ateb ie neu na!'

Syniad Stwmp

Llyncodd Sniffyn ei boer. Sut ar wyneb y ddaear y gwyddai'r ysbryd ei enw?

'Ie, ie . . . Sniffyn ydw i . . . P . . . Pa . . . Pam?'

'Am 'mod i wedi bod drwy'r bore yn chwilio amdanat,' meddai'r ysbryd gan ddiosg amdano, a dyna lle'r oedd Stwmp ar y llawr yn edrych yn flin iawn, iawn. 'Pam gebyst na fasat ti wedi ateb y lembo?' gofynnodd Stwmp. 'Doeddwn i'n gweld dim wrth guddio o dan y cadach, ac yn ofni mai Pwdryn oeddet ti.'

'Ro'n i'n meddwl mai ysbryd oeddet ti . . .' dechreuodd Sniffyn

'Ysbryd? Pwy gebyst welodd ysbryd yr un faint â fi? Mae gen ti chwilen yn dy ben efo ysbrydion.'

'Wyt ti'n fy meio i?' gofynnodd Sniffyn. 'Wn i ddim beth i'w ddisgwyl nesaf. Mae yna gymaint o bethau sy'n codi ofn arnaf . . .'

'O'r gorau, dyna ddigon,' meddai Stwmp.

'Beth wyt ti'n da yma, beth bynnag?' holodd Sniffyn yn sydyn. 'Pam nad wyt ti wedi mynd yn ôl i'r gist?'

'Twt, rydw i wedi blino aros yn y gist. Fydde waeth i mi fod mewn pastai ddim. Am ba hyd y mae'n rhaid i ti aros yn fan hyn?'

'Tan amser swper,' meddai Sniffyn.

'Twt, tyrd yn dy flaen. Does dim diben i ti fod yma o gwbl . . . Rwy'n unig yn yr ystafell ar fy mhen fy hun . . .'

'Ond fan hyn ydw i *i fod*, Stwmp.'

' . . . Medda Sglyfath, a phwy sydd eisiau gwrando arno fo?' meddai Stwmp.

'Mi lladdith o fi.'

'Anghofia fo, Sniffyn. Wnaiff o ddim ta p'un . . . Tyrd yn ôl efo mi, i mi gael cwmni.'

Ac o'r diwedd, fe ildiodd Sniffyn. Byddai yntau'n falch o gael cwmni hefyd. Ond roedd ymhell o fod yn hapus. Doedd Sniffyn ddim wedi arfer anufuddhau ac roedd arno ofn Sglyfath. Bachgen bach oedd eisiau gwneud bob dim yn iawn oedd o. A phwy all ei feio? Cofiwch beth ddigwyddodd iddo yr unig dro yn ei fywyd pan ddaru o anufuddhau!

Wedi iddynt fynd yn ôl i'r ystafell, eisteddodd Sniffyn ar ochr y gist.

'Pwy sydd yn cysgu ar lawr heno, ti neu fi?' gofynnodd Stwmp.

'Dos di i'r gist—dydw i ddim yn credu yr a' i i gysgu heno,' meddai Sniffyn.

'Pam, neno'r diar?'

'Stwmp, sut mae disgwyl i mi gysgu pan ydw i'n cael fy neffro bob nos gan sŵn yr ysbrydion yna yn ysgwyd cadwyni ac esgyrn?'

'Dim ond gwneud eu gwaith maen nhw.'

'Pwy?' holodd Sniffyn.

'Wel, dyna ni Hergwd Sgerbwd yn un...
Dyna beth ydi ei waith o—mynd o gwmpas yn
clecio ei esgyrn ac yn llusgo cadwyni. Chwarae
teg iddo, fyddet ti ddim yn hoffi ei waith na
fyddet?'

'Beth—wyt ti'n nabod y sgerbwd yma?'
gofynnodd Sniffyn yn syn.

'Hergwd Sgerbwd? Wrth gwrs fy mod i. Mae
o yma ers blynyddoedd—'mhell cyn i mi ddod
yma. Mi fydda fo'n syniad da i chi'ch dau
gyfarfod.'

'Rydan ni *wedi* cyfarfod,' meddai Sniffyn yn
methu credu sut y gallai Stwmp anghofio—'yn

y cwpwrdd, ar noson dywyll.'

'Ia, ia, ond roedd o dros bob man yr adeg honno. Na, mae'n rhaid i ti weld Hergwd Sgerbwd wedi ei roi at ei gilydd yn iawn. Mae o werth ei weld.'

'Dydw i ddim yn meddwl 'mod i isio. . . ' dechreuodd Sniffyn, ond collodd Stwmp ei dymer.

'Wrth gwrs, dyna dy ddrwg di, ddyle rhywun mor brin o ffrindiau â ti fod yn falch o'r cyfle i gael gwneud rhai newydd.'

Meddyliodd Sniffyn am hyn yn hir. Efallai fod Stwmp yn iawn. Efallai y dylai ymdrechu mwy i wneud ffrindiau. A gwell fyddai iddo fod yn ffrindiau efo'r sgerbwd nac yn elyn iddo . . .

'Ga i ddweud wrtho am ddod yma heno?' gofynnodd Stwmp.

'Dim ond os wyt ti'n meddwl ei fod yn syniad call,' meddai Sniffyn. Yna cofiodd iddo glywed sŵn esgyrn. 'Mae o wedi bod yma bob noson arall ers i mi fod yma, felly fydd heno ddim yn wahanol i'r arfer.'

'Bydd, bydd—mi ofynnaf iddo ddod yma i gael sgwrs ac mi gei di ei weld o yn rhoi ei hun at ei gilydd.'

Ni chysgodd Sniffyn yr un winc y noson honno, gan gymaint yr ofnai gyfarfod â sgerbwd go-iawn. Pan glywodd y cloc mawr yn taro deuddeg ym mherfeddion y castell gwichiodd drws yr ystafell wrth agor, a daeth pâr o asennau i mewn. Oni bai fod Sniffyn wedi cael ei rybuddio o flaen llaw byddai wedi marw o sioc. Cerddodd dau asgwrn troed i mewn yn swnllyd, a nifer o esgyrn mân ar eu holau. Rowliodd y benglog i mewn gydag un fraich, a daeth y fraich arall i mewn yn olaf gan gau'r drws.

Hergwd Sgerbwd

'Deffra,' meddai Stwmp yn gysglyd.

'Wyt ti'n meddwl 'mod i wedi cysgu drwy hynny?' meddai Sniffyn gan oleuo cannwyll.

'He he he!' meddai'r benglog, a gwên smala ar ei wyneb (neu beth fyddai yn wyneb pe na bai'n benglog).

'Ol reit, ol reit, Hergwd. Does dim rhaid i ti geisio codi ofn arnom ni rŵan—dwyt ti ddim ar ddyletswydd.'

'Myn asgwrn i, nag ydwg,' meddai Hergwd, 'saith sori am hynny.' Cadw hyd braich oddi wrtho wnaeth Sniffyn, yn methu tynnu ei lygaid oddi arno.

'Cod y fraich yna i mi, wnei di, Miffyn?' meddai Hergwd Sgerbwd.

'*Sniffyn* ydi fy enw i.'

'Saith sori, Sliffyn,' meddai Hergwd Sgerbwd.

'Rhaid i ti faddau i Hergwd Sgerbwd,' eglurodd Stwmp. 'Mae o'n cael trafferth efo rhai geiriau—fel y byddet tithau tase gen ti ddim tafod na chlustiau. Hergwd Sgerbwd, *Sniffyn* ydi hwn.'

'Mae'n dda iawn gen i eich cyfarfod chig,' meddai'r sgerbwd yn foneddigaidd. 'Beth oedd eich enwg chi eto?'

'Sniffyn.'

'Enw anghyffredin iawn, ynteg?' meddai'r sgerbwd. 'Dydwig erioed wedi cyfarfod hogyn o'r enwg yna o'r blaen.'

Bu bron i Sniffyn ateb nad oedd o wedi gweld sgerbwd o'r enw Hergwd Sgerbwd o'r blaen chwaith, ond wnaeth o ddim.

Unwaith y cafodd Hergwd Sgerbwd ei draed dano, a'i goesau wrth reswm, a'r pelfis a'r sennau yn eu lle, roedd yn go lew, ond câi drafferth i gael ei freichiau yn y lle iawn. Roedd yn clecian yn arw.

'Wyddwn i ddim eich bod chi'n cysgug yn fan hyn, nag wyddwn i wir,' meddai Hergwd

Sgerbwd. 'Saith sorig os yw'r sŵn wedig tarfu arnoch ambell noson.'

'*Bob* noson,' meddai Sniffyn.

'O, gwared fy ngwallt,' meddai Hergwd Sgerbwd. 'Hon oedd fy ystafell newid i . . . Ac ro'n i'n arfer cadwg fy esgyrns yn y gist tan i Sglyfath fy symud i'r cwpwrdd. Ond rydwig yn dal i ddod i fan hyn i roi fy hun at fy ngilydd— dwig ddim yn licio gwneud hynnyg yng ngŵydd y byd, 'te.'

'Deall yn iawn,' meddai Sniffyn, yn ceisio plesio. 'Fasan well gen i newid mewn ystafell newid hefyd—hynny ydi, tase *gen* i ddillad i newid iddyn nhw. Rydw i yn y dillad yma ers i mi gyrraedd.'

Doedd gan Stwmp ddim llawer i'w gyfrannu i'r sgwrs yma, gan mai dim ond unwaith yn ei fywyd yr oedd ef wedi newid erioed, a hynny o fod yn benbwl i fod yn llyffant.

'Ydw i'n iawn rŵan?' gofynnodd Hergwd Sgerbwd.

Ysgydwodd Sniffyn a Stwmp eu pennau. Roedd rhywbeth o'i le.

'Mae un fraich yn hirach na'r llall,' meddai Sniffyn yn y diwedd, 'ac mae eich pen chi ar un ochr.'

'Sena tena, dim ots, i ffwrdd â nig,' meddai, 'owg, well i mig ofio rhoi fy llygaids i mewn,' a sylwodd Sniffyn ar ddwy farblen yn rowlio ar y llawr. Cododd Hergwd Sgerbwd hwy a'u rhoddi yn ei lygaid.

'Ha, dynag well—rwy'n eich gweld chig rŵan,' meddai Hergwd Sgerbwd. 'Lle mae 'nghadwyni i? Dalla i ddim mynd allan hebddyn nhw.'

Roedd cadwyni Hergwd Sgerbwd yn y cwpwrdd, a rhai trwm iawn oedden nhw hefyd. Dewisodd Hergwd Sgerbwd un ohonynt, ac i ffwrdd ag o. Yn ffodus, daeth Sniffyn â'i gannwyll gydag o.

Wedi cyrraedd i ben y coridor a throi i'r chwith, gollyngodd Hergwd Sgerbwd y gadwyn ar lawr a dechrau ei llusgo o gwmpas. Safodd Sniffyn a Stwmp yn stond gan edrych mewn rhyfeddod ar y perfformiad. Cerddai Hergwd Sgerbwd yn ôl ac ymlaen i fyny'r coridor yn llusgo'r cadwyni. Roedd yn sŵn cyfarwydd iawn i Sniffyn—sŵn traed yn llusgo, sŵn esgyrn, sŵn cadwyni, ond rywsut, nid oedd yn codi hanner gymaint o ofn arno'n awr pan edrychai ar Hergwd Sgerbwd. A dweud y gwir, doedd o ddim yn codi ofn arno o gwbl. Yr oedd yn dechrau hoffi Hergwd Sgerbwd.

'Ydych chi'n meddwl fod hynnyg yn ddigon am heno?' gofynnodd Hergwd Sgerbwd ar ôl dipyn. 'Rydw i wedig blino.'

'Hergwd Sgerbwd,' meddai Sniffyn, 'allwch chi ddweud wrthyf pam eich bod yn gwneud hyn?'

'Dyna 'ngwaith i,' meddai Hergwd Sgerbwd. 'Postmon ro'n ig am fod pan oeddwn yn fach, ond dynag fo . . . '

'Ydych chi wedi bod yn sgerbwd erioed . . .
neu oeddech chi unwaith yn berson?' holodd
Sniffyn.

'Sut gwn i?' gofynnodd Hergwd Sgerbwd.
'Does gen ig ddim co. Does gen ig ddim ymen-
nydd chwaith. Mae 'mhenglog i'n hollol wag
ersg ymaint o amser, wn i ddim os fug en ig
rywbeth yno fo erioed. Un peth yg wn—fûm i
erioed yn bostmon.'

Aeth y tri yn ôl tuag at stafell Sniffyn.
Datgymalodd Hergwd Sgerbwd ei hun a mynd
yn ôl i'r cwpwrdd.

'Wel,' meddai Stwmp, 'dyna ti wedi cyfarfod
Hergwd Sgerbwd.'

Ni ddywedodd Sniffyn yr un gair, yr oedd
wedi ei syfrdanu gan yr hyn a welodd, a'i fod
wedi siarad efo sgerbwd go-iawn.

'Ydi Sothach a Sglyfath yn gwybod am
Hergwd Sgerbwd?' gofynnodd.

'Wrth gwrs eu bod nhw—gweithio iddyn
nhw mae o,' meddai Stwmp.

'I be mae Sglyfath eisiau sgerbwd yn cerdded
o gwmpas?'

'Sut gwn i? I be mae Sglyfath eisiau bachgen
bach yn ei gôt wely yn sefyll wrth y porth
drwy'r dydd? I be mae unrhyw un yn cadw
cogydd cas sy'n rhoi hoelion ym mhob peth? Yr
unig reswm dros i Sglyfath gadw sgerbwd,
dybiwn i, fyddai i godi ofn ar bobl.'

Bu'r ddau yn ddistaw am dipyn.

'Y drafferth gyda Hergwd Sgerbwd ydi nad ydi o'n codi ofn ar fawr o neb—mae o'n rhy ddiog.'

Gwrandawodd Sniffyn yn syn.

'Welais ti faint o waith wnaeth o heno? Dim ond cerdded i fyny'r coridor 'na unwaith neu ddwy, a dyna fo, roedd o wedi cael digon. Mae o'n syndod gen i ei fod yn dal mewn gwaith.'

'Falle nad ydi sgerbydau'n bethau hawdd iawn i'w cael,' meddai Sniffyn. 'Ydi o'n cael ei fwydo fel ti a fi?'

'Paid â bod yn wirion, dydi sgerbwd ddim yn bwyta dim byd siŵr iawn,' meddai Stwmp cyn cau ei lygaid a mynd i gysgu.

Bu Sniffyn dipyn yn hwy cyn mynd i gysgu. Dechreuodd feddwl hen feddyliau bach annifyr. Falle i Hergwd Sgerbwd fod yn berson unwaith—person o gig a gwaed. Ond falle ei fod wedi bod yn y castell ers cymaint o amser yn cael ei fwydo ar gawl fel ei fod wedi troi'n sgerbwd . . .

Brensiach

Y diwrnod wedyn, roedd Sniffyn yn ôl wrth y ddôr yn teimlo'n ddiflas. Meddyliodd am yr antur yr oedd wedi ei gael y noson cynt gyda Hergwd Sgerbwd. Yr oedd wedi bod yn hwyl. Edrychodd o gwmpas rhag ofn bod Stwmp yn cuddio dan gadach, ond doedd dim golwg o Stwmp yn unman.

Bryd hynny y cafodd Sniffyn syniad mentrus. Penderfynodd y byddai ef, Sniffyn, yn mynd ei hun bach am dro o amgylch y castell. Os oedd wedi gallu mynd gyda Stwmp neithiwr ar hyd coridorau'r castell yng nghwmni sgerbwd byw a hithau wedi troi hanner nos—beth oedd ganddo i'w ofni yn awr? Edrychodd o'i gwmpas i weld a oedd rhywun yno, ond roedd yn dawel fel y bedd.

Ar flaenau ei draed, cerddodd Sniffyn yn ddistaw, ddistaw bach gan edrych tu ôl iddo bob yn hyn a hyn rhag ofn bod rhywun yn ei ddilyn. Gan ei fod yn taflu golwg dros ei ysgwydd drwy'r amser, doedd o ddim yn edrych i ble roedd yn mynd, a dyna sut y bu iddo gerdded i mewn i ysbryd.

'HELP!' meddai'r ysbryd.

Trodd gwaed Sniffyn yn oer.

'WÂ!' meddai'r ysbryd wedyn, 'peidiwch â'm brifo. Na, Wâ . . . help!'

Ni wyddai Sniffyn beth i'w wneud.

'O, mi ges i fraw!' meddai'r ysbryd gan droi ar ei sawdl a rhedeg i lawr y coridor. 'O, helpwch fi, rywun, helpwch fi, rydw i newydd weld rhywun dieithr! O, mi ges i'r fath fraw . . . '

Edrychodd Sniffyn yn syn ar y siâp gwyn yn rhedeg cyn sylweddoli beth yr oedd wedi ei wneud. Roedd o wedi dychryn ysbryd! Gwyddai Sniffyn yn iawn nad oedd ganddo hawl i fod yn cerdded o gwmpas y castell yr adeg honno o'r dydd. Eitha gwaith iddo. Ond roedd wedi dychryn ysbryd! Teimlai fel rhywun chwe throedfedd.

Ond diflannodd y teimlad hwnnw'n fuan, a theimlai Sniffyn fel bachgen pedair troedfedd tair modfedd eto. Roedd yn gas iawn ganddo ei fod wedi codi ofn ar yr ysbryd, a chyn iddo sylweddoli beth oedd yn ei wneud, rhedodd i lawr ar ôl yr ysbryd.

'Hei, stop!' gwaeddodd. Ond ni stopiodd yr ysbryd.

'Mae'n ddrwg gen i!' gwaeddodd Sniffyn wedyn nerth esgyrn ei ben. 'Mae'n ddrwg iawn gen i os gwnes i'ch dychryn chi! Doeddwn i ddim wedi meddwl . . . '

Dyna pryd y dechreuodd yr ysbryd sgrechian. Rhedodd yn gyflymach, a cheisiodd Sniffyn ddal i fyny ag o.

'Wâ! Wâ!' gwaeddodd yr ysbryd.

Fel yr oedd Sniffyn yn dod yn nes, lluchiodd yr ysbryd ei hun dros ganllaw'r grisiau a diflannu.

Ni wyddai Sniffyn beth i'w wneud. Edrychodd yn araf dros ganllaw'r grisiau gan ddisgwyl gweld slebjan waedlyd ar lawr. Yna cofiodd nad oedd modd i ysbryd fod yn slebjan waedlyd a'i fod yn gallu diflannu'n ddim.

Aeth Sniffyn yn ôl at y ddôr ac aros yno tan amser te pryd y câi fynd yn ôl i'w stafell. Yno roedd Stwmp yn hopian o gwmpas y lle. Pob tro y deuai Sniffyn i'r stafell, byddai Stwmp yn neidio ganllath i'r awyr, ac ni fyddai Sniffyn byth yn siŵr pam y gwnâi hyn, ai oherwydd ei fod wedi ei ddychryn neu oherwydd ei fod yn falch o'i weld. Gan nad oedd yr un dodrefnyn yn y stafell, byddai Sniffyn yn troi'r gist ar ei hochr ac yn ei defnyddio fel bwrdd. Byddai'n rhannu ei gawl bob noson efo Stwmp.

'Choeliet ti byth beth welais i heddiw,' meddai Sniffyn wrth fwyta'i gawl.

'Beth felly?' holodd Stwmp.

'Ysbryd,' meddai Sniffyn. 'Ysbryd go-iawn.'

'Brensiach,' meddai Stwmp.

'Ie, Stwmp, dyna beth feddyliais innau hefyd. Ond y peth rhyfedd ynglŷn â'r ysbryd yma oedd mai fi ddychrynodd yr ysbryd, yn lle bod yr ysbryd wedi fy nychryn i.'

'Ie, Brensiach fyddai honno,' meddai Stwmp, heb droi blewyn (petai gan lyffant flewyn i'w droi, hynny yw). 'Wn i ddim beth yw'r pwynt cael ysbryd ofnus. Dydi hi'n dda i ddim. Mae fel . . . wel, mae fel cael llyffant sy'n ofni neidio, tydi?'

'Neu sgodyn sy'n methu nofio,' meddai Sniffyn.

'Neu dderyn sy'n ofni uchder,' meddai Stwmp.

'Neu afon sy'n ofni gwlychu!' a chwarddodd y ddau.

Bu Sniffyn yn dawel am dipyn.

'Stwmp,' meddai'n feddylgar, 'os oedd gan yr ysbryd fy ofn i . . . '

'Ie,' meddai Stwmp.

'Yna, does dim rhaid i mi ofni'r ysbryd nac oes?'

'Nac oes, wrth gwrs. Dwyt ti byth yn ofni pethau sy'n dy ofni di, ddim mwy nag y mae cath yn ofni cael ei dychryn gan lygoden. Does neb yn ofni Brensiach, dyna pam y mae mor ddiwerth.'

'Does ganddi hi ddim help,' meddai Sniffyn.

'Ddylai hi ddim bod yn ysbryd, na ddylai,' meddai Stwmp.

'Efallai nad oes ganddi help ei bod yn ysbryd chwaith,' meddai Sniffyn . . . 'Fyddai modd cyfarfod â Brensiach?' gofynnodd ymhen dipyn. 'Mi garwn i ddweud wrthi fod yn ddrwg gen i am ei dychryn.'

'Dychryn am dy fod yn ddieithr wnaeth y gr'adures, mae'n siŵr,' meddai Stwmp. 'Mae'n iawn unwaith y mae'n dy nabod. Tydi hi ddim hanner call weithiau.'

Mwya yn y byd y clywai Sniffyn am Brensiach, mwya yn y byd yr oedd eisiau ei chyfarfod.

Y CYFRIFIADUR

Yn ei wely llawn budreddi, gorweddai Sglyfath yn breuddwydio am ei gyfrifiadur gwerthfawr. Breuddwydiai mai organ anferth oedd y cyfrifiadur ac wrth iddo wasgu'r botymau deuai miwsig bendigedig ohoni. Byddai Sglyfath wrth ei fodd pe gallai chwarae organ. Yn sydyn, trodd holl fiwsig yr organ yn un nodyn cyfarwydd iawn yn ei glust chwith, a deffrodd Sglyfath. Nid breuddwydio yr oedd bellach. Llamodd o'i wely nes bod briwsion a llygod a llysnafedd yn cael eu chwalu i bob cyfeiriad. Erbyn iddo gyrraedd ei gyfrifiadur, oedd, roedd y golau'n fflachio! Roedd trwbwl yn rhywle. Ar y sgrin daeth y cyfeiriad ac yna'r llun yn 3 Bryn Dedwydd, Trefai.

Merch fach yn gwrthod bwyta ei brecwast oedd yno. Meddai ei mam:

'Dorcas, os na wnei di fwyta'r wy yma, chei di ddim mynd i chwarae efo Mabli ar ôl ysgol, a dyna ddiwedd arni.'

Syllodd Dorcas ar yr wy. Syllodd Sglyfath ar y sgrin. Roedd wrth ei fodd yn gwylio rhyw ffrae fach fel hyn ben bore. Roedd ben bore yn amser da iawn am ffrae gan fod pawb yn flin

am eu bod yn gorfod codi.

Doedd Dorcas ddim am gyffwrdd yr wy. Roedd wedi oeri erstalwm ac nid oes dim sy'n waeth nag wy wedi ei ferwi wedi oeri. Arhosodd Sglyfath am ei gyfle. Cyn bo hir, gwylltiodd y fam:

'Pam ydw i'n trafferthu dy fwydo di, wn i ddim! Dyddia hyn, dwyt ti'n rhoi dim byd ond trafferth i mi. Dwi'n gwybod pan ei di i'r siop amser cinio na fyddi di'n bwyta dim ond sothach!'

Agorodd llygaid Sglyfath led y pen . . . bwyta Sothach??? Dyma blentyn y byddai'n *rhaid* iddo ei dwyn! Paratôdd i fynd allan. Bwytaodd un o'r Fferins Fflïo ac edrych ar y cyfrifiadur eto—3, Bryn Dedwydd, Trefai . . . Bryn Dedwydd wir! On'd oedd pobl yn rhoi enwau gwirion ar eu tai? Byddai'n mynd i dai a elwid yn 'Anedd Wen', 'Heulwen', 'Bythol Hapus', 'Trebodlon' ac ati ac yn dod ar draws y bobl mwya cas a blin ar wyneb daear. Rhoddodd orchymyn i Sniffyn i agor porth y castell, ac i ffwrdd ag o.

Cyn pen dim o dro, yr oedd Sglyfath tu allan i Ysgol Trefai yn cymryd arno mai polyn lamp ydoedd. Gwelodd Dorcas yn dod i lawr y lôn yn bwyta creision. Fel yr oedd hi'n mynd heibio'r polyn lamp, cydiodd Sglyfath yn ei gwar a'i chipio i ffwrdd.

Doedd Dorcas erioed wedi cael y ffasiwn sioc yn ei bywyd. Rhowch eich hun yn ei sgidiau.

Beth fyddech chi'n ei feddwl petaech yn cerdded i'r ysgol un dydd yn bwyta creision, ac yn canfod nad ydi eich traed ar y llawr? Yn fwy na hynny dychmygwch bod rhywun yn eich dal gerfydd eich gwar fel rhyw gath, a'ch bod yn teithio drwy'r awyr ar gyflymder o bymtheng mil o filltiroedd yr awr efo Sglyfath wrth eich ochr? Ydi'n wir, mae o'n dipyn o brofiad pan nad ydych ond naw oed.

Wedi cyrraedd Gyrn Wigau, roedd pethau'n waeth byth. Clywodd Sniffyn y waedd yr oedd yn ei chasáu.

'Sglyfath a ddaeth—AGOOOR Y DDÔÔÔR—SNIFFYN!!!!'

Agorodd Sniffyn y ddôr a gwelodd Sglyfath yn dod tuag ato gyda phlentyn bach arall eto. Yr oedd y ferch hon yn ei gwisg ysgol a phaced o greision yn ei llaw, a golwg wedi dychryn arni.

Teimlai Sniffyn yn ofnadwy pan welai'r plant truain hyn yn dod i'r castell. Gwyddai yn union sut oeddynt yn teimlo, ac eto, ni allai wneud dim i helpu. Yn wir, fo oedd yn gyfrifol am agor y drws iddynt ddod i Gyrn Wigau. Roedd yn helpu Sglyfath i wneud ei waith drwg.

Gadawodd Sglyfath y ferch yn y fynedfa, ac i ffwrdd ag o. Manteisiodd Sniffyn ar ei gyfle,

'Helô,' meddai. 'Sniffyn ydw i—beth yw dy enw di?'

Ni ddywedodd y ferch yr un gair. Yr oedd ei

llygaid yn llawn dychryn.

'Dweud . . . dydw i ddim yn un ohonyn *nhw* wyddost ti. Wedi cael fy nghipio yma fel ti ydw innau.'

'Dorcas ydw i,' meddai.

Bu'r ddau ohonynt yn dawel wedyn nes i'r ferch ofyn:

'Beth sy'n mynd i ddigwydd i mi?'

'Wn i ddim,' meddai Sniffyn. 'Mae sôn bod plant eraill yma, ond wn i ddim ble maen nhw. Gofalu am y ddôr yw 'ngwaith i.'

Roedd Dorcas bron â chrio.

'Rydw i wedi colli 'nghreision i gyd,' meddai. 'Wrthi yn bwyta fy nghreision yr oeddwn i ar fy ffordd i'r ysgol pan afaelodd y creadur hyll yna ynof a'm cipio i'r awyr.'

'Dwi'n gwybod,' meddai Sniffyn, 'mae o'n brofiad dychrynllyd.'

'Cau dy geg!' meddai rhywun, a chlywodd Sniffyn arogl Sothach yn dod yn nes. 'Pwy ddywedodd fod gen ti'r hawl i siarad efo neb?' meddai Sothach cyn gweld Dorcas. 'Chdi yn fan'cw—efo coesau tena—tyrd efo mi, ac os clywaf i ti'n gwrando ar hwnna eto, mae hi wedi canu arnat ti.'

Dyna'r olaf a welodd Sniffyn ohoni am amser maith. Edrychodd Dorcas dros ei hysgwydd ar Sniffyn, ac ni allai Sniffyn anghofio'r dychryn oedd yn llenwi ei llygaid.

Ar ôl cinio, mentrodd Sniffyn fynd i chwilio am Dorcas. Byddai'n well ganddo petai Stwmp gydag ef, ond wyddai o ddim lle'r oedd Stwmp. Doedd o ddim wedi mynd yn bell iawn pan welodd o siâp gwyn ar waelod y grisiau. Dychrynodd o feddwl mai ysbryd oedd, ond pan sylweddolodd mai Brensiach ydoedd cofiodd nad oedd yn rhaid iddo ei hofni.

Mentrodd ati gan feddwl sut i beidio ei dychryn. Cofiodd fod ganddo bêl fach yn ei boced. Yn ddistaw iawn, rowliodd y bêl i gyfeiriad Brensiach. Trodd Brensiach i weld pwy oedd yno, a phan welodd Sniffyn, roedd ar fin codi i redeg, ond arhosodd Sniffyn lle'r ydoedd.

'Brensiach . . . ' meddai'n dawel.

Edrychodd y llygaid tywyll arno.

'Sniffyn ydi i—ro'n i eisiau dweud fod yn ddrwg gen i am eich dychryn chi ddoe.' Edrychodd Brensiach yn syn. Doedd neb yn arfer siarad â hi fel hyn. Sgrechian yn ei hwyneb fyddent fel rheol a rhedeg i ffwrdd mor gyflym â'r gwynt. Byddai hyn yn ei gwneud yn drist iawn. Camodd Sniffyn yn ei flaen,

'Dydw i ddim eisiau codi ofn arnat Brensiach . . . rwyt ti'n gweld, creadur digon ofnus ydw innau ac mae'n gas gen i gael fy nychryn.'

Gwrando'n astud wnaeth Brensiach gan eistedd ar dop y grisiau, ac ymhen dipyn, roedd Sniffyn yn eistedd wrth ei hymyl. Doedd gan Brensiach mo'i ofn mwyach. Sylwodd Sniffyn ei bod yn chwarae efo rhywbeth.

'Beth yw hwnna sydd gen ti?' gofynnodd.

'Gêm fach,' meddai Brensiach. 'Fe'i cefais yn anrheg gan Hergwd Sgerbwd.'

'Beth ydi o?'

'Darnau o esgyrn . . . fe'u cefais nhw gan Hergwd am nad oedd gen i esgyrn.'

'Sut wyt ti yn ei chwarae?' gofynnodd Sniffyn.

'Y gêm ydi cael y belen i'r darn yma, ac yn ôl drwy'r twll arall.'

Nodiodd Sniffyn mewn rhyfeddod. Doedd o erioed wedi gweld gêm esgyrn o'r blaen. Sylwodd Brensiach arno'n syllu:

'Fyddet ti'n licio rhoi cynnig arni?' gofynnodd. Dyna'r tro cyntaf erioed iddi gynnig i rywun chwarae gyda'i thegan.

Roedd hi'n glên cael cwmni i chwarae. Buont yn dawel am dipyn.

'Roedd Hergwd Sgerbwd wedi dweud fod rhywrai wedi dod i fyw i'r stafell fach,' meddai Brensiach, 'a bod llyffant Pwdryn wedi cael ffrind.'

'Rwyt ti'n nabod Hergwd Sgerbwd felly?'

'Ydw, Hergwd a finnau sydd â'r gwaith o ddychryn pobl yn y castell yma. Mae'n gas gen i'r gwaith.'

'Gofalu am y porth yw 'ngwaith i, ac mae'n gas gen innau'r gwaith,' meddai Sniffyn.

'Mae'n siŵr o fod yn waeth ar rywun fel ti sy'n gorfod bwyta,' meddai Brensiach. 'O leia, does dim rhaid i Hergwd Sgerbwd a finnau boeni am lwgu.'

'Dydi'r bwyd ddim yn flasus iawn,' meddai Sniffyn, oedd bron wedi anghofio sut oedd bwyd iawn yn blasu bellach.

'Dwi wedi cael syniad,' meddai Brensiach. 'Beth tase Hergwd Sgerbwd a finnau'n dod draw i dy stafell di heno 'ma? Byddai'n braf cael dod at ein gilydd.'

'Mi ddaeth Hergwd Sgerbwd y noson o'r blaen . . . ' dechreuodd Sniffyn, ond fel yr oedd yn dweud yr hanes, daeth sŵn traed a diflannodd Brensiach o flaen ei lygaid.

Sglyfath ddaeth i fyny'r grisiau.

'Ac ers pryd wyt ti'n gwneud dy ddyletswydd ar ben y grisiau yma?' gofynnodd Sglyfath.

'Dim ond . . . ' wyddai Sniffyn ddim beth i'w ddweud. 'Dim ond gwneud yn siŵr fod popeth yn iawn.'

'Fy ngwaith *i* yw hynny,' rhochiodd Sglyfath. 'Sawl gwaith sy'n rhaid i mi ddweud wrthyt ti nad wyt ti i fod i symud o'r ddôr?'

Cododd Sniffyn a mynd i lawr y coridor tuag at y ddôr. Roedd cerydd gan Sglyfath fel arfer yn ei wneud yn ddigalon, ond doedd o ddim wedi cael yr effaith yna arno y tro hwn. Na— roedd o wedi cael cwrdd â Brensiach, ac roedd o am gael cwmni y noson honno.

Y Parti

'Stwmp . . . Stwmp . . . Beth am gael parti heno?' meddai Sniffyn wedi cynhyrfu'n lân pan gyrhaeddodd yr ystafell. 'Mi welais i Brensiach heddiw, ac mae hi eisiau dod yma efo Hergwd Sgerbwd.'

'Crawc,' meddai Stwmp yn amheus.

'O, meddylia braf fyddai cael parti, a chael pobl glên o gwmpas, a chael sbort! Fedri di gofio'r tro diwethaf gefaist ti sbort, Stwmp?'

'Crawc,' meddai Stwmp eto gan hopian o gwmpas y stafell yn meddwl.

'Sut mae cael parti efo dau o bobl sydd ddim yn bwyta?'

Doedd Sniffyn ddim wedi meddwl am hyn. Doedd o erioed wedi bod mewn parti lle'r oedd sgerbwd ac ysbryd o'r blaen.

'Llawn gystal eu bod nhw ddim yn bwyta, cofia di,' meddai Stwmp wedyn, 'gan nad oes briwsionyn o fwyd i'w gael beth bynnag.'

'Ia—decini,' meddai Sniffyn, yn teimlo'n fwyfwy digalon.

'Oes yna rywbeth allwn ni ei wneud i addurno'r lle yma 'te?'

Edrychodd Stwmp o gwmpas y stafell lom.

'Fedri di weld rhywbeth?'

Doedd dim byd yn yr ystafell ar wahân i'r gist, a rhyw hen 'nialwch yn y gornel.

'Cadwyni Hergwd Sgerbwd. Mi allan ni roi'r rheini o gwmpas y lle . . . 'blaw eu bod yn drwm ofnadwy . . . O, mae'n rhaid bod rhywbeth ar gae! . . . Ddoi di efo fi, Stwmp, i weld beth gawn ni?'

Daeth Sniffyn a Stwmp yn ôl â llond gwlad o bethau. Yn un stafell, roedd Sniffyn wedi dod o hyd i hen goets, ac roedd llawer o hen gynfasau o gwmpas y lle. Mewn stafell arall, roedd hen bapur a chanhwyllau i'w cael. Gwnaeth Sniffyn gadwyni papur, ac roeddynt yn llawer haws i'w trin na rhai'r sgerbwd. Pan ddaeth Hergwd Sgerbwd a Brensiach i stafell Sniffyn y noson honno, cawsant syndod mawr o weld y lle wedi ei addurno mor hyfryd. Roedd Sniffyn wedi sleifio i gegin Pwdryn hefyd ac wedi dwyn hynny o ddanteithio oedd ganddo.

'Myn asgwrn i, beth yw hyn i gyd, Sliffyn?' gofynnodd Hergwd Sgerbwd.

'Rydw i mor falch o gael cwmni,' meddai Sniffyn. 'Mae o'n esgus i ddathlu!'

'Hi hi, ydi wir!' cytunodd Brensiach. 'Dyma beth ydi hwyl!'

'Mae'n anodd iawn cael parti iawn,' meddai Sniffyn, 'gan nad oes neb ond Stwmp a fi yn bwyta. Rydw i wedi dwyn dipyn o bethau o gegin Pwdryn.'

'Hitiwch befo am Hergwd a fi,' meddai

Brensiach. 'Rydyn ni wedi hen arfer difyrru'n hunain.'

'Ydyn wir,' meddai Hergwd Sgerbwd a dychrynodd Sniffyn wrth weld Hergwd Sgerbwd yn tynnu ei ben i ffwrdd. Cyn pen dim, roedd wedi tynnu ei freichiau a'i goesau hefyd, ac wedi gosod esgyrn ei freichiau a'i goesau fel ceilys. Gafaelodd Brensiach ym mhenglog Hergwd a'i rowlio tuag at yr esgyrn. Llwyddodd i daro un i lawr.

'Sena tena, mi elli dig wneud yn well na hynny, Brensiach!' meddai Hergwd. 'Rho gynnig arall arni.'

Edrychai Sniffyn yn reit bryderus.

'Wyt ti'n siŵr nad ydi hyn yn peri dolur i ti, Hergwd Sgerbwd?'

'Dim ogwbl. Rydwig mor galed â gasgwrn . . . Rhog ynnig dy hun arnig.'

'Na, dwi isio cynnig arall arni,' meddai Brensiach gan rowlio'r benglog drachefn. Y tro hwn, trawodd dri asgwrn.

'Roedd hynny'n dipyn gwell, Brensiach,' meddai Hergwd Sgerbwd.

Ar ôl gorffen y danteithion, mentrodd Sniffyn i roi cynnig ar y gêm, ac ar y tro cyntaf, trawodd bedwar asgwrn i lawr.

'Rhagoron, Stiffyn,' meddai Hergwd. 'Rydw i'n meddwl mai gwell fyddai i chi roi'r gorol iddi rŵan, rydw i yn fligedin.'

'Mi faswn i'n gleisiau drosto i taswn i'n gwneud hynny,' meddai Sniffyn, yn ceisio meddwl sut fyddai'n teimlo petai ei ben yn cael ei dynnu i ffwrdd a'i rowlio i daro ei goesau a'i freichiau.

'Dyna'r fantais o beidiog cael cig a gwaed,' meddai Hergwd Sgerbwd. 'Dydw ig byth yn cleisio.'

'Na finna chwaith,' meddai Brensiach. 'Taswn i'n neidio o risiau uchaf y castell 'ma, faswn i ddim yn brifo.'

'Ia,' cofiodd Sniffyn, 'i ble'r aethost ti pan ddaeth Sglyfath heibio heddiw—pan oedden ni ar ben y grisiau?'

'Diflannu 'te—beth oeddet ti'n disgwyl i mi ei wneud a Sglyfath o gwmpas?'

Meddyliodd Sniffyn mor braf fyddai pe gallai ef ddiflannu pan ddymunai.

'Dowch o gwmpas y gannwyll, bawb,' meddai Sniffyn, 'mi allwn ni gymryd arnom ein bod i gyd o gwmpas tanllwyth mawr o dân. Ac mae gen i rywbeth arbennig iawn i'w ddangos i chi . . .'

'Beth?' holodd pawb yn eiddgar.

Tyrchodd Sniffyn yn ei boced a thynnodd gastanwydden allan.

'Hon oedd y gastanwydden orau gefais i llynedd,' meddai Sniffyn, 'ac rydw i wedi ei chadw'n ofalus ar gyfer achlysur arbennig. Rydyn ni am gael ei bwyta hi heno—wel, hynny ydi—pawb sydd eisiau, 'te?'

Eisteddodd pawb o gwmpas y gannwyll a gwylio Sniffyn yn agor y gastanwydden. Doedd Hergwd a Brensiach erioed wedi gweld y fath beth o'r blaen.

'Fe ddaeth plentyn arall i'r castell 'ma heddiw,' meddai Sniffyn. 'Merch fach mewn gwisg ysgol oedd hi . . . Ydi un ohonoch chi'ch dau yn gwybod beth mae Sglyfath yn ei wneud gyda'r plant eraill?'

'Eu cadw nhw'n gaethweision yn ôl yr hyn wn ig,' meddai Hergwd Sgerbwd. 'Ie, mi fydda ig yn cael cip ar ambell un.'

'Fyddai modd cyfarfod un ohonynt?' meddai Sniffyn yn eiddgar.

'Does dim pwynt i mi siarad efo'r un ohonynt,' meddai Brensiach. 'Os nad ydw i'n cael fy nychryn ganddynt hwy, maen nhw yn cael eu dychryn gennyf fi—ac maent yn rhedeg milltir.'

'Rydwig innau'n cael yr un broblem,' cyfaddefodd Hergwd Sgerbwd. 'Mi fydda i'n gweld un weithiag ar fy nheithiau yn y nos, ac yn ceisiog wenu'n glên, ond y cwbl a gaf ig yw sgrech annaearol. Mae'n ddigon â thorrig fy nghalon, hynny ydig, petaig ennig alon i'w thorrig. Mae'n rhaid nad ydig plant yn rhy hoff o ysbrydion.'

'Dydi plant ddim yn rhy hoff o lyffantod chwaith,' meddai Stwmp.

Ac meddai'r tri ohonynt gyda'i gilydd,
'Beth amdanot ti, Sniffyn?'

Wyddai Sniffyn ddim beth i'w ddweud.
Cymerodd anadl ddofn. Gwyddai nad oedd yn
ddigon dewr i helpu gyda'r fath dasg . . . Ond ef
oedd yr unig un allai wneud rhyw-
beth . . . Efallai fod bachgen bach ofnus yn
well na dim help o gwbl . . .

'Mi rof gynnig arni,' meddai mewn llais dis-
taw. 'Ond does dim modd cyrraedd y plant.
Rydw i wedi siarad gydag un ohonynt, ac mae'n
dweud mai Sglyfath yw'r unig un fedr fynd
drwy'r drws.' Bu'n meddwl yn galed . . . 'Fe
allai Brensiach eu cyrraedd drwy fynd *drwy'r*
drws, mae'n debyg . . . ond dyw hynny fawr o
help os y byddai'n dychryn y plant.'

'Mi allwn i fynd ag anrheg efo mi, mae'n
debyg,' meddai Brensiach. 'Efallai y byddent
yn fy hoffi wedyn.'

'Oes gen ti anrheg?' holodd Stwmp.

'Nagoes.'

'Wel, paid ag awgrymu pethau gwirion, 'te,'
meddai Stwmp.

'Rydw i'n meddwl y byddai gan y plant ofn
ysbryd hyd yn oed petai ganddo lond sach o
anrhegion,' meddai Sniffyn.

'Dyna ddiwedd ar y syniad yna 'te,' meddai
Hergwd Sgerbwd.

'Beth oedd enwg y bachgen siaradaist tig efo
fog?' gofynnodd Hergwd Sgerbwd.

'Amos,' meddai Sniffyn. 'Plentyn arall sydd

yna yw Dorcas, merch â gwallt du mewn gwisg ysgol a bag creision gwag—welwyd ddiwethaf yn cael ei llusgo i ffwrdd gan Sothach,' meddai Sniffyn.

'Pwy wyt ti wedi ei weld, Brensiach?'

'Welais i hogyn mewn côt fawr a sbectol—hogyn tua'r un oed â ti, Sniffyn.'

'Beth arall wyddost ti amdano?' holodd Sniffyn.

'Dim byd. Llewygodd yn y fan a'r lle a rhedais i ffwrdd am fy mywyd.'

'Wyt ti wedi gweld unrhyw un ohonynt, Hergwd Sgerbwd?'

'Myn asgwrn i, hogyn welais innag hefyd,' meddai Hergwd.

'Yn gwisgo beth?'

'Dim byd.'

'Dim byd???' meddai pawb wedi dychryn.

'Doedd dim byd amdano ar wahân i dywel.

Roedd o fel petai o newydd ddod o fàth, ond doedd dim golwg lân iawn arno,' meddai Hergwd Sgerbwd gan roi syndod mawr i bawb.

'Felly, does gennym fawr o wybodaeth felly,' meddai Sniffyn gan siarad yn union fel ditectif. 'Yr unig beth fedrwn ni ei wneud yw mentro allan yn y nos.' Hyd yn oed wrth iddo ddweud y geiriau, gallai Sniffyn deimlo ei benliniau yn crynu.

Pennod 13

Y Frenhines Hana

Bu Sniffyn yn ddewr iawn y noson honno yn aros yn y coridor drwy'r nos rhag ofn y byddai'n gweld un o'r plant. Eisteddodd yn hollol dawel, a thua thri o'r gloch y bore, clywodd sŵn traed. Goleuodd ei gannwyll a meddwl tybed pwy fyddai yno. Ai Dorcas ydoedd, a'i llygaid tywyll yn llawn ofn? Ai'r bachgen bach lewygodd wrth weld Brensiach ydoedd? Daeth y sŵn yn nes ac yn nes. Pwy oedd yno ond Hergwd Sgerbwd.

'O Hergwd, ro'n i wedi meddwl mai un o'r plant oedd yna! Rydw i wedi bod yn aros yma drwy'r nos.'

'Finne hefyd,' meddai Hergwd Sgerbwd. 'Dwyf fi ddim wedig wneud sŵn drwy'r nos, ond does dimg olwg o neb. Rwyn rhoi'rg orau iddi. Mae'n rhaid imig ael ychydig og wsg.'

Y noson wedyn, roedd Sniffyn mor flinedig fel y syrthiodd i gysgu. Pan gafodd ei ddeffro, roedd rhywun yn ei ysgwyd yn dyner.

'Deffra, deffra, fedri di ddim cysgu yn y fan hyn.'

Ni wyddai Sniffyn ble yr oedd nes iddo sylweddoli ei fod wedi cysgu ar y llawr caled yn y coridor. Rhwbiodd ei lygaid ond ni allai weld dim, ac ymbalfalodd yn ei boced am y gannwyll. Yn ffodus, roedd ganddo ychydig fatsys yn weddill.

'Pwy sydd yna?' meddai gan ymbalfalu am ei fatsys.

'Hana.'

Ceisiodd Sniffyn gofio pwy yn y byd oedd Hana, a doedd ganddo ddim cof fod ganddo ffasiwn ffrind. Efallai nad ffrind mohoni . . . Pan oleuodd y gannwyll, cafodd syndod mawr o weld brenhines yn sefyll o'i flaen. Ar ei phen yr oedd coron aur, a gwisgai ffrog les, laes. Neidiodd Sniffyn ar ei draed a cheisio cofio sut oedd rhywun i fod i gyfarch brenhines.

'Ardderchicaf Wrhydri . . . y . . . Frenhines Hana,' meddai Sniffyn.

'Paid â bod yn wirion,' meddai'r frenhines, a gwyddai Sniffyn ei fod wedi rhoi ei droed ynddi. 'Nid brenhines go-iawn ydw i. Dim ond digwydd bod yn y dillad gwirion yma ro'n i pan gefais fy nghipio i ffwrdd . . . Newydd ddod yma wyt ti?'

'Fi?' meddai Sniffyn, wedi drysu'n lân. 'Nage wir. Rydw i yma erstalwm. Fi ydi porthor y castell yma.'

'O diâr, dyna'r drwg,' meddai Hana, yn drist. 'Wyddon ni ddim faint o blant sydd yn y lle yma. Rydyn ni'n ceisio dod o hyd i'r holl blant sydd yma.'

'Dyna beth oeddwn i yn ei wneud hefyd, ond

mi syrthiais i gysgu,' meddai Sniffyn.

'Mi benderfynais i y byddwn i'n cerdded o gwmpas yn ystod y nos i drio dod o hyd i blant. Ond mae'n beth peryglus iawn i'w wneud— mae'r lle yn llawn o ysbrydion a phethau drwg.'

'Cael dy gipio yma gan Sglyfath gefaist tithau hefyd?' gofynnodd Sniffyn.

'Ie . . .'

'Wyddost ti lle mae Sglyfath yn cadw'r plant eraill?' gofynnodd Sniffyn.

'Mae'n amlwg eu bod yn cael eu cadw mewn gwahanol lefydd. Wyddwn i ddim fod plentyn fel ti wrth y porth er enghraifft . . . Rydw i'n adnabod Jo a Moses John . . . a rydyn ni'n cael ein cadw yng ngwaelod y castell.'

'Wrth ymyl y gegin?' gofynnodd Sniffyn.

'Dyna ti . . . mae Pwdryn yn ein cadw mewn cewyll, a 'ngwaith i yw plicio tatws.'

'Oes yna hogyn o'r enw Amos yno?' holodd Sniffyn.

'Amos . . . Oes!'

'A Dorcas?—Hogan mewn gwisg ysgol efo gwallt du?'

'Wn i ddim amdani hi,' meddai Hana. 'Roedd Rwth yn arfer bod gyda ni, ond mi ddiflannodd hi un diwrnod, a ddaeth hi byth yn ôl.'

'Hana, gobethio nad oes ots gen ti 'mod i'n gofyn . . . ond, os nad wyt ti'n frenhines, pam mae 'na goron ar dy ben?' holodd Sniffyn.

'Wel, yn y parti oeddwn i 'te?'

'Parti pwy?'

'Parti Jessica Hyde. Parti crachaidd ofnadwy a phawb yn gorfod gwisgo gwisg ffansi. Wel, mae'n *gas* gen i Jessica Hyde ar y gorau, ond roedd hi'n annioddefol yn y parti. Roedd pawb arall wedi hen ddiflasu ar y g'nawes, ac fe gymerais i yn fy mhen i'w difyrru nhw,' meddai Hana.

Roedd Sniffyn yn mwynhau'r stori yma. 'A beth wnest ti?' gofynnodd.

'Mynd ar ben y bwrdd yng nghanol y dant-teithion, a dechrau dynwared Jessica. Ro'n i'n cael hwyl garw arni'n dynwared Jessica yn cael sterics, ac erbyn hynny ro'n i'n sathru ar y jeli a'r blymonj a beth bynnag arall oedd o fewn cyrraedd. Pan godais fy mhen, pwy oedd yno yn syllu arnaf yn y drws ond Mr a Mrs Hyde—a Jessica!'

'A beth ddigwyddodd wedyn?'

'Wel, 'radeg honno y digwyddodd o 'te? Sgrechiodd Mrs Hyde a dweud, "Ewch o 'ngolwg i—y g'nawes haerllug!" Rwy'n cyfaddef fy mod i ar y pryd eisiau i'r llawr fy llyncu, ond doeddwn i ddim wedi disgwyl i hynny ddigwydd go-iawn, ac i rywun fy nhynnu i gerfydd fy ngwar i lawr ac i lawr i'r castell yma.'

Prin y gallai Sniffyn gredu ei glustiau.

'Beth bynnag am hynny,' meddai Hana, yn cymryd ei gwynt ati, 'pwy wyt ti?'

'Sniffyn.'

'*Ti* ydi Sniffyn?' meddai Hana, a'i llygaid fel soseri.

Roedd Sniffyn ar fin gofyn iddi sut y gwyddai amdano pan glywsant sŵn traed yn dod. Cododd Hana ei sgert yn barod i roi ras pan waeddodd Sniffyn ar ei hôl:

'Paid â mynd Hana—mae'n rhaid i mi wybod sut i gael hyd i ti eto!'

'Mi fydda i 'nôl yma nos yfory,' gwaeddodd Hana, a diflannu i'r gwyll.

Roedd Sniffyn ar fin diffodd y gannwyll a chuddio pan edrychodd i lawr y coridor a gweld siâp yr oedd yn ei adnabod yn iawn.

'Helô, dim lwg heno eto, mae arnaig ofn.'

Roedd Sniffyn wedi gwylltio.

'Diolch yn fawr, Hergwd Sgerbwd. Mi *ges* i lwc, ces i *fwy* na lwc—lwyddais i i gael sgwrs gydag un o'r plant.'

'Da iawn wir,' meddai Hergwd Sgerbwd.

'Oedd—nes i *ti* ddod heibio. Roeddwn i ar fin cael gwybod sut oedd cael gafael arnynt, pan glywsom sŵn dy draed mawr, ac mi ddiflannodd.'

Edrychodd Hergwd Sgerbwd ar ei draed.

'Dydyn nhw ddim mor fawr â hynny,' meddai.

'Yndyn *maen* nhw. Rwyt ti'n llwyddo i roi dy droed ynddi bob cyfle gei di.'

'Saith sori a thri chwarter,' meddai Hergwd Sgerbwd, yn ceisio bod yn fonheddig, ond doedd gan Sniffyn ddim mynadd o gwbl.

Sam

'SGLYFATH A DDAETH! AGOOR! AGOR Y DDÔR!!'

Rhoddodd Sniffyn ochenaid wrth glywed llais cras Sglyfath yr ochr arall i'r ddôr. Llusgodd y ddôr drom ar agor gan duchan. Yna, safodd yn stond. Roedd o wedi cael sawl sioc ers cyrraedd Gyrn Wigau, ond 'run mor fawr â hon. O'i flaen, safai Samiwel Humphrey Jones neu Sam Wmff—bwli mwya'r ysgol. Llyncodd Sniffyn ei boer.

'Sam! . . . Beth ar y ddaear wyt *ti* yn ei wneud yma?'

'Sniffyn Piffyn!' meddai Sam mewn syndod.

Wrth glywed yr enw hwnnw, cafodd Sniffyn deimlad rhyfedd. Doedd neb wedi ei alw yn Sniffyn Piffyn erstalwm iawn, iawn, iawn. Roedd yn perthyn i ryw oes ymhell bell yn ôl. Er bod Sniffyn yn arfer casáu yr enw, doedd dim cymaint o ots ganddo gael ei alw'n hynny yn awr—roedd yn ei atgoffa o'r ysgol a'r byd yr oedd wedi ei golli. Safai'r bwli mawr yn y drws yn edrych yn ofnus. Doedd o ddim yn edrych hanner mor fawr yn awr â Sglyfath yn ei ymyl.

'Cadwa lygad ar hwn tra dwi'n nôl y wraig ddiog 'na sydd gen i. Sawl gwaith ydw i wedi dweud wrthi am fod yn barod wrth y ddôr pan dwi'n dod ag un o'r cnafon hyn yn ôl i'r castell?'

Doedd Sam ddim yn ymddwyn ddim byd tebyg i'r hyn a wnâi yn yr ysgol. Roedd yr olwg 'ylwch chi fi' wedi mynd, ac edrychai o'i gwmpas yn ofnus.

'Beth sy'n digwydd yma?' meddai Sam gan grynu. Doedd Sniffyn erioed wedi gweld Sam Wmff yn crynu o'r blaen. 'A phwy ar y ddaear oedd y peth erchyll yna?'

'Sglyfath ydi hwnna,' dechreuodd Sniffyn egluro.

'Enw da iawn iddo ddywedwn i.'

'Ac mae'n dwyn plant. Wyt ti'n gwybod pam y cefaist ti dy ddwyn?'

'Dim syniad.'

'Oes yna rywun wedi dweud rhywbeth cas wrthyt ti yn ddiweddar?' gofynnodd Sniffyn.

'Mae rhywun yn dweud rhywbeth cas wrtho i bob dydd. Dyna'r drwg o fod yn fwli. Ddoe ddiwethaf mi ddywedodd y prifathro wrtho i am fynd o'r ysgol ac am beidio â dod yn ôl yno byth eto.'

'Pam?' gofynnodd Sniffyn.

'Am 'mod i'n chwarae triwant ac am ei fod o wedi blino rhoi cerydd imi, am wn i.'

'Mae hynny'n esgus tila dros dy ddwyn,' meddai Sniffyn, 'ond mae'n siŵr o fod yn ddigon i Sglyfath. Mae'n edrych yn debyg mai'r patrwm yw canfod rhywun sydd wedi dweud rhywbeth blin wrth blant a bod hynny'n ddigon o esgus gan Sglyfath i gael gwared o'r plentyn . . . Ond does dim amser i'w wastraffu, Sam. Rydyn ni'n ceisio canfod y plant sy'n cael eu cadw yn y castell yma. Mae yna ferch o'r enw Hana yn fy nghyfarfod i heno. Mae'n rhaid i ti helpu Sam—mae dy fywyd yn dibynnu ar hynny.'

Yr eiliad honno, daeth Sglyfath yn ôl wedi gwylltio'n gacwn:

'Mae'r fuwch wirion yna wedi diflannu—i ba ddiben mae rhywun yn cadw gwraig os yw'n da i ddim?'

Y noson wedyn, aeth Sniffyn i'w fan arferol yn y coridor i ddisgwyl am Hana. Tybed fyddai ganddi hi newydd iddo heno? Tybed oedd yna ffordd o gyrraedd y plant? Clywodd sŵn traed yn dod i lawr y coridor a chododd ei ben yn eiddgar. Ond nid Hana oedd yno . . . Nage, doedd bosib . . . ie! Sam oedd o!

'Sam, be wyt ti'n da yma?' gofynnodd.

Rhedodd Sam ato a gafael ynddo'n dynn:

'O, Sniffyn, helpa fi, mae hwn yn lle dychryn-llyd! Rydw i eisiau mynd adref, rydw i eisiau mynd adref rŵan!' a chyn i Sniffyn sylweddoli beth oedd yn digwydd, roedd Sam Wmff, bwli mwya'r ysgol yn beichio crio ar ei ysgwydd. Gwyddai Sniffyn yn iawn sut oedd yn teimlo.

Roedd yntau wedi cael ei ddychryn yn ofnadwy yn ystod y dyddiau a'r nosweithiau cyntaf yn Gyrn Wigau.

'Dyna ti rŵan—dydi pethau ddim mor ddrwg â hynny.'

'Ydi, Sniffyn, *maen* nhw . . . maen nhw wedi cymryd Hana . . . '

Aeth rhywbeth drwy galon Sniffyn pan glywodd hynny:

'Hana?'

'Ia . . . mae Sglyfath wedi mynd â hi ar ôl canfod iddi fod yn crwydro yn y nos. Dyna pam mai fi sydd yma i dy gyfarfod yn lle Hana. Ond Sniffyn, ddaru mi 'rioed dychmygu fod ffasiwn le yn bod! Rydw i wedi gweld sgerbwd go-iawn efo fy llygaid fy hun . . . rydw i wedi clywed rhyw synau rhyfedd, a mi allwn i daeru fy mod wedi gweld ysbryd. O, Sniffyn, Sniffyn—dwed wrthyf fy mod yn breuddwydio. Dwed wrtho i, Sniffyn, *plîs*!'

'Dwyt ti *ddim* yn breuddwydio, Sam, a gorau po gyntaf iti deall hynny! Ydi, mae Gyrn Wigau yn lle annifyr, ac ydi, mae Sglyfath yn hen sglyfath peryg, ond mae'n rhaid iti beidio â bod â chymaint o ofn!'

'Sniffyn—sut nad oes gan rywbeth mor llywaeth â ti ddim ofn yn y lle yma?'

Ni wyddai Sniffyn yn iawn beth oedd yr ateb i'r cwestiwn hwn, ond rhoddodd gynnig arni.

'Wedi i ti fod yn byw yn rhywle am dipyn o amser, rwyt ti'n dechrau arfer efo'r lle hwnnw, Sam. Rwyt ti'n dod i adnabod wynebau cyfar-wydd, ac mae'r ofn yn cilio peth . . . '

'Ond beth sy'n mynd i ddigwydd i ni gyd?' gofynnodd Sam.

'Wn i ddim,' meddai Sniffyn. 'Y peth sy'n rhaid i ni ei wneud yw ei *stopio* fo rhag digwydd.'

'Dallwn ni byth,' meddai Sam.

'Mae'n *rhaid* i ni,' meddai Sniffyn, 'neu fan hyn fyddwn ni am weddill ein bywydau. Rŵan, Sam, mae'n rhaid i ti beidio â bod â chymaint o ofn . . . '

'Ond y sgerbydau a'r ysbrydion . . . '

'Hitia befo nhw, maen nhw'n iawn pan ddoi di i'w nabod.'

Ar y gair, pwy ddaeth i'r golwg ond Hergwd Sgerbwd. Roedd yn symud yn rhyfedd iawn, yn gynt nag arfer. Doedd Sniffyn erioed wedi gweld sgerbwd yn rhedeg o'r blaen.

'Sniffyn! SNIFFYN! Dacw fo! Y sgerbwd sy'n symud! Tyrd Sniffyn, rhed! Rhed am dy fywyd!!!'

A chyn i Sniffyn gael dweud gair, roedd Sam wedi diflannu i'r tywyllwch yn sgrechian fel babi blwydd.

Caswallon
a'r Ystafell Berig

Roedd Sniffyn wedi gwylltio'n arw efo Hergwd Sgerbwd y tro hwn:

'Dyna'r ail dro i ti wneud hyn,' meddai Sniffyn wrtho'n flin. 'Beth yn y byd yw'r diben i mi ddod i adnabod y plant yma a llwyddo i gael sgwrs efo nhw os wyt ti'n difetha'r cyfan drwy eu dychryn nhw?'

'Sniffyn, Sniffyn . . . ' meddai Hergwd Sgerbwd yn gynhyrfus, heb glywed dim o'r hyn oedd Sniffyn wedi ei ddweud. 'Rydw i wedi dod o hyd i blentyn . . . '

'Ac mae'n siŵr dy fod wedi dychryn hwnnw hefyd?'

'Wel, mae o'n sefyll wrth waelod yg risiau a'i goesaug yn crynug. Rydwi gwedi dweud wrthog am aros yn fannog neu fydd ei fywyd o ddim gwerth 'i fyw.'

'Y creadur druan—fydd o wedi marw o sioc,' meddai Sniffyn gan ruthro yno i'w achub.

Pan gyrhaeddodd Sniffyn waelod y grisiau, gwelodd fachgen bach yno heb ddim byd amdano ar wahân i dywel am ei ganol.

'Psst!' meddai Sniffyn yn dawel gan geisio peidio codi ofn arno. 'Hei, Sniffyn ydw i—a dwi wedi dod i dy helpu. Tyrd ffordd hyn, mi allwn ni guddio yma!'

Ni symudodd y plentyn o gwbl. Edrychai fel petai wedi gweld drychiolaeth.

'We-wedi gweld sg-sg-sgerbwd! D-Ddim yn ca-ca-cael symud . . . ' meddai'r bachgen bach.

'O, hitia befo'r sgerbwd yna,' meddai Sniffyn yn wallgof efo Hergwd am ddweud y fath beth wrth y bachgen. Gafaelodd yn ei law a'i dywys i ystafell gyfagos.

'Rŵan, os clywi di sŵn rhywun yn dod— cuddia yn fan hyn,' meddai Sniffyn. 'Beth yw dy enw di?'

'Ca-ca-cas-wall-all-on.'

'Cacacaswallallon?' gofynnodd Sniffyn. 'Mae hwnnw'n enw braidd yn hir, tydi? Mi alwn ni ti'n Caswallon am rŵan. Reit, beth wyt ti'n da yn fan hyn amser yma o'r nos?'

'Hel pryfaid cop ydw i.'

'Hel *beth*?'

'Pryfaid cop,' meddai Caswallon.

'I beth?'

'Sglyfath sydd wedi dweud wrtho i.'

'A lle mae dy gannwyll di?' gofynnodd Sniffyn.

'Does gen i'r un.'

'Ac mae disgwyl i ti ddod o hyd i bryfaid cop yn y tywyllwch?' meddai Sniffyn.

'Dydw i ddim wedi dal yr un,' meddai Caswallon y drist.

'Dydi Sglyfath ddim yn gall,' meddai Sniffyn

yn flin. 'Ac i feddwl ein bod ni yn ceisio cael y gorau arno . . . Fyddet ti yn barod i'n helpu ni, Caswallon? . . . Gyda llaw, lle mae dy ddillad di?'

'Fel hyn y dois i yma,' meddai Caswallon a dywedodd ei stori.

'Wnes i ddim byd mawr o'i le,' meddai. 'Ro'n i wedi prynu da-da o'r siop un diwrnod ac wedi cael Sherbyrt Ffowntain. Mi fydda i'n cael Sherbyrt Ffowntain bob nos Wener, ond y tro hwn mi'r oedd y sherbyrt yn fath arbennig bob lliwiau. Pwy oedd yn aros yn ein tŷ ni ond Anti Harriet, ac mae'n fy siarsio i rhag bwyta da-da cyn mynd i 'ngwely. Wel, fedrwn i ddim aros mwy am y Sherbyrt Ffowntain bob lliwiau, a beth ddaru mi ond cael gafael arno cyn mynd i'r bàth a'i sglaffio fo yn y fan a'r lle. Y camgymeriad wnes i oedd anghofio cau drws y stafell molchi, a phwy ddaeth i mewn ond Anti Harriet. Mi ffrwydrodd hi pan welodd hi fi'n bwyta da-da, ac mi waeddodd arna i nes bod fy nghlustiau'n brifo. Bryd hynny daeth y gwynt neu rywbeth heibio a 'nghipio i drwy'r ffenest. Cyn y gwyddwn i lle'r oeddwn i neu beth oedd wedi digwydd, roeddwn i yn fan hyn.'

''Run stori â phawb,' meddai Sniffyn. 'Ond sut mae o'n clywed amdanom ni blant?'

'Yn y Stafell Berig . . . ' meddai Caswallon. 'Bob tro mae o'n dod allan o fan'no, mae o'n gadael y castell a dod yn ôl efo plentyn arall.'

'Beth sydd yn y Stafell Berig?' holodd Sniffyn.

'Wn i ddim. Fûm i erioed ar gyfyl y lle,' meddai Caswallon.

'Wyt ti'n gwybod y ffordd yno?' gofynnodd Sniffyn, wedi cynhyrfu.

'Ydw, ond faswn i byth yn mynd,' meddai Caswallon.

'Ar ochr pwy wyt ti?' gofynnodd Sniffyn yn siomedig. 'Bydd yn rhaid inni fynd yno os ydym am achub y plant.'

'Os gwelith Sglyfath ni . . . '

'Ie—bydd hi'n ddrwg iawn arnom ni,' meddai Sniffyn.

'Os digwydd hynny . . . ' meddai Caswallon eto.

'Ond mae'n saffach yn y nos nag unrhyw adeg arall.'

'Dallwn ni byth fynd i mewn yna, mae'r drws ar glo,' meddai Caswallon.

'Fydd hynny'n ddim problem,' meddai Sniffyn.

Edrychodd Caswallon ar Sniffyn. Doedd o erioed wedi gweld bachgen mor ddewr yn ei fywyd. Fe hoffai ef fod fel Sniffyn.

'Ddaru ti ddim digwydd gweld ysbryd ar y ffordd?' gofynnodd Sniffyn.

'Dim ond yr Ysbryd o Chwith,' meddai Caswallon.

'Ysbryd o Chwith?' gofynnodd Sniffyn.

'Ie—honno sy'n diflannu bob tro mae'n eich gweld . . . '

'Brensiach—i lle y diflannodd hi tro hyn?'

'Sut gwn i? Aeth hi o'r golwg, dyna'r cwbl wn i,' meddai Caswallon.

'Bydd yn rhaid i ni ddod o hyd iddi. Tyrd, mi awn i chwilio amdani.'

Yn ffodus, doedd Brensiach ddim yn bell, ac o fewn dim, roedd hi a Sniffyn yn dilyn Caswallon i Stafell Berig Sglyfath. Safodd Caswallon o flaen drws mawr.

'Dyna fo,' meddai mewn llais crynedig.

'Diolch yn fawr, Caswallon. Rwyt ti'n fachgen dewr a galluog iawn,' meddai Sniffyn.

'Clywch clywch,' meddai Brensiach. 'Mi faswn i'n licio bod yn ddewr a galluog.'

'Mi ddaw dy gyfle di'n fuan,' meddai Sniffyn.

Edrychodd y tri ar y drws mawr. Wedi ei beintio ar y drws roedd y geiriau.

PERIG NI DDOWCH NEB I YMA.

Sglyfath oedd wedi rhoi'r neges yno. Doedd o ddim yn un da iawn am sgwennu.

'Ewch chi byth i mewn i fan'na,' meddai Brensiach.

'Na wnawn—dyna pam nad ni sydd yn mynd i mewn,' meddai Sniffyn.

'Pwy aiff 'te?'

'Ti.'

Perig
ni ddowch
neb yma

'Wâ!' sgrechiodd Brensiach, 'Wâ!! Na—'daf
i byth ar gyfyl ddim byd perygl, dwi ofn, ofn,
ofn!!! WÂÂÂÂÂÂ!' a rhedodd i lawr y coridor.

'Aros!' gwaeddodd Sniffyn. 'Paid â bod mor
hurt . . . Tyrd yma'r funud yma! Ti oedd am fod
yn ddewr a galluog.'

Daeth Brensiach yn ei hôl yn benisel:

'Mi fydde'n well gen i fod yn ddewr a galluog fory, dwi'n meddwl,' meddai.

Gwylltiodd Sniffyn. 'Rŵan yw ein cyfle ni, falle na chawn ni'r un arall. Rydyn *ni* yma, a dydi Sglyfath ddim. Dallwn *ni* ddim mynd i mewn, ond mi elli *di*. Mi elli di gerdded drwy'r drws . . . Brensiach—cymer dy gyfle a DOS I MEWN!'

Mae'n rhaid fod Sniffyn wedi llwyddo i godi ofn gwirioneddol ar Brensiach, achos y funud honno, roedd ganddi fwy o ofn Sniffyn nag a oedd ganddi o Sglyfath. Heb oedi rhagor, cerddodd Brensiach drwy y drws.

'Beth sy'n cloi'r drws, Brensiach?' holodd Sniffyn o'r ochr arall i'r drws.

'Bolltiau mawr,' atebodd Brensiach. Roedd yn swnio'n nerfus iawn.

'Fedri di agor y bolltiau?' gofynnodd Sniffyn. 'Tria dy ora—a brysia!'

Chwarae teg i Brensiach, fe wthiodd a gwthiodd y bolltiau mawr, ac o'r diwedd, llwyddodd i'w hagor. Pan agorodd y drws, cafodd Sniffyn sioc ddychrynllyd. O flaen ei lygaid, yn llenwi'r ystafell, roedd y cyfrifiadur mwyaf yn y byd.

Rŵan, roedd Sniffyn yn dipyn o hen ben gyda pheiriannau fel hyn, ond roedd hwn yn un mor fawr fel na wyddai ble i ddechrau. Cafodd help Caswallon a Brensiach i bwyso pob math o fotymau, ac yn y diwedd, llwyddodd y tri i gael llun ar y sgrin.

Roedd yn anodd gweld dim byd ar y dechrau, ond yn raddol, daeth golau ar y sgrin.

Yn sydyn, rhoddodd Caswallon ebychiad:

'Ystafell Ddial! Edrychwch ar y botwm yma . . . Sniffyn, Sniffyn! Mae o'n dweud Ystafell Ddial ar y botwm yma!'

'Pwysa fo!' meddai Sniffyn. Cymerodd Caswallon anadl ddofn a gwasgu'r botwm. Am dipyn yr oedd striben anwastad ar y sgrin, ond yna, gwelsant stafell fawr a'i llond o gewyll. Yn y cewyll yr oedd plant—plant byw go-iawn. Symudai llun y sgrin o un plentyn i'r llall fel y camera diogelwch a welwch mewn siopau. Nid oedd Sniffyn yn adnabod y plant, ond gwyddai Caswallon pwy oeddynt yn iawn.

'Jereboam! Dacw Jereboam!'

'Beca—honna yw Beca efo gwallt hir . . . '

'HANA!' meddai Sniffyn dros bob man.

Ac yn wir i chi, Hana oedd hi, gyda'i choron bapur yn dal ar ei phen, yn cysgu mewn cawell.

'Mae hyn yn ofnadwy,' meddai Sniffyn, 'Maen nhw fel adar mewn cawell, neu anifeiliaid mewn sw. All neb gadw plant mewn cewyll.'

'Mae Sglyfath yn gwneud,' meddai Caswallon. 'I'r ystafell hon y daw plant anufudd iawn. Mae Hana yn y gawell yna am ei bod wedi mentro allan yng nghanol nos . . . A fan'no fyddwn ninnau os daw Sglyfath o hyd inni . . . '

Yn sydyn, roedd y perygl yn ormod iddynt, a

rhedodd Sniffyn a Caswallon o'r Ystafell Berig mor gyflym ag y gallent. 'Dowch oddi yma! Dowch oddi yma am eich bywydau!' gwaeddodd Sniffyn. Roedd hithau Brensiach yn rhedeg allan o'r ystafell pan ddaliodd rhywbeth ei sylw—rhywbeth yn sgleinio ar y wal, rhywbeth llachar iawn.

'DOWCH!' clywodd Sniffyn yn galw, ond roedd yn rhaid iddi gael gafael yn y peth hardd hwn. Darn o aur siâp rhyfedd ydoedd. Byddai'r tlws hwn yn gwneud anrheg rhagorol i Hergwd Sgerbwd. Roedd hi wedi bod yn chwilio am anrheg i Hergwd Sgerbwd byth ers iddo ef roi'r gêm asgwrn yn anrheg iddi hi. Cipiodd ef a gwibio o'r ystafell. Ym mhen draw'r coridor, roedd Sniffyn yn siarad yn wyllt efo Caswallon:

'Caswallon, dos yn ôl i dy stafell—neu ba le bynnag wyt ti i fod—welwn ni ti'r un amser fory! Hwyl!'

'Help!' meddai Caswallon.

'Beth sy'n bod?' holodd Sniffyn.

'Does gen i'r un pry copyn! Mi lladdith Sglyfath fi—peidiwch â 'ngadael i . . . ' meddai Caswallon bron â thorri ei galon.

'O'r andros, dywed wrth Sglyfath nad dyma'r amser iawn o'r flwyddyn ar gyfer pryfaid cop. Mae pawb yn gwybod hynny!'

A bu raid gadael Caswallon druan ar ei ben ei hun.

Ar y ffordd yn ôl i'w stafell, roedd Sniffyn wedi bod yn meddwl:

'Brensiach,' meddai, 'dalla i ddim credu fod Sglyfath yn gallu bod mor ddrwg.'

'Yn rhoi plant mewn cewyll . . . '

'Nid hynny'n unig, Brensiach, ond ei fod yn gallu bod mor greulon efo Caswallon—gwneud iddo fynd i grwydro coridorau yng nghanol heb bwt o olau yn chwilio am bryfaid cop . . . A rŵan, gan ei fod wedi ein helpu ni, does ganddo'r un pry cop . . . Nagoes?'

'Un arall ar gyfer y Stafell Ddial,' meddai Brensiach.

Triog

Eisteddai Sothach a Sglyfath o flaen y tân.
Roedd wyneb Sglyfath yn biws am ei fod o
wedi gwylltio cymaint. Roedd rhywun wedi
bod yn y Stafell Berig, ac roedd ganddo syniad
da pwy. Edrychodd ar ei wraig. Roedd yn
hyllach nag arfer heno. Roedd ei gwallt mor
seimllyd â sosban jips; roedd y smotiau ar ei
hwyneb yn gwneud iddo edrych fel petai
rhywun wedi lluchio pwdin reis drosto, ac
roedd y ploryn ar ei thrwyn yn sgleinio. Hepian
cysgu yr oedd hi, ac yr oedd golwg fodlon ar ei
hwyneb. Roedd yn gas gan Sglyfath feddwl ei
bod yn hapus. Yn sydyn, sathrodd ei throed
yn galed.

'Aw!' gwaeddodd Sothach gan roi naid.

'He, he,' chwarddodd Sglyfath yn sbeitlyd.

Syllodd Sothach ar ei gŵr. Ar adegau fel hyn
roedd yn ei gasáu'n fwy nag erioed. Ni allai
oddef edrych ar ei wyneb, felly caeodd ei
llygaid a dychmygu Sglyfath yn cael ei bigo gan
haid o wenyn. Roedd gwenyn yn ei wallt,
gwenyn yn ei glustiau, gwenyn yn ei drwyn ac
yn ei geg. Roedd gwenyn yn ei grys a gwenyn yn
ei drywsus! Chwarddodd yn ddistaw wrth ei

hun.

'Hi hi.'

Edrychodd Sglyfath ar ei wraig mewn syndod. Pam oedd hon mewn hwyliau mor dda? Cododd fonyn coed o'r pentwr oedd wrth y tân a'i luchio ati. Trawyd Sothach ar ei phen.

'OW!' bloeddiodd Sothach mewn poen. Beth oedd ar ben ei gŵr? Dyma hi yn ceisio pendwmpian o flaen y tân ac roedd y trychfil yma yn cau gadael llonydd iddi. Lluchiodd y bonyn yn ôl a tharo Sglyfath rhwng ei lygaid.

'Gwna hynny eto ac mi fyddi di'n rhostio ar y tân,' rhybuddiodd Sglyfath a phoeri arni.

Tynnodd Sothach ei thafod arno.

'A phaid ti â meiddio mynd ar gyfyl fy stafell i eto,' meddai Sglyfath.

'Hy! Pwy sydd eisiau mynd i dy stafell di?' meddai Sothach gan chwerthin.

'Fuest ti yna neithiwr, y gnawes glwyddog,' meddai Sglyfath. 'Mi fuest ti'n chwarae efo fy mheiriant i.'

'Gad dy lolian,' meddai Sothach. 'Pwy andros fyddai isio mynd i dy stafell ddiflas di? Dydi'r peiriant 'na'n dda i ddim—dydi o ddim yn golchi nac yn gwnïo nac yn gwneud dim byd o werth. Dydi o ddim ond casgliad o fotymau.'

'Beth wyddost ti . . . a dy ben di mor wag â phlisgyn? Dim ond dy rybuddio di ydw i'n awr. Os gwela i un o dy bawennau anghynnes di ar fy nghyfrifiadur i eto, mi'th fwytaf i swper.'

Doedd gan Sothach ddim diddordeb ym

mheiriant Sglyfath. Doedd ganddi ddim syniad beth oedd diben y cyfrifiadur a doedd dim gwahaniaeth ganddi chwaith. Roedd y peiriant wedi difetha llawer o'r sbort o ddwyn plant. Er pan oedd yn ifanc, roedd Sothach wedi mwynhau hela plant. Cofiai fynd allan i feysydd chwarae a chuddio tu ôl i goeden efo sach. Pan ddeuai plentyn bach i chwilio am bêl, neidiai Sothach arno a rhoi'r sach ar ei ben. Tric da arall oedd dal plant tra oeddent yn cysgu. Daeth Sothach yn arbenigwraig ar fynd i stafelloedd yn ddistaw bach. Cyn iddi fynd yn rhy dew, gallai redeg ar ôl plant a chuddio yn y mannau mwyaf annisgwyl i'w dychryn. Rhoddodd y cyfrifiadur stop ar yr hwyl yna i gyd. Bellach, dim ond Sglyfath gâi fynd allan i hela plant, a dim ond y fo a ddeallai'r peiriant. Roedd blynyddoedd wedi mynd heibio ers i Sothach gael mynd o Gyrn Wigau. Dadl Sglyfath oedd ei bod yn llawer rhy hyll i fynd allan ac y byddai wedi cael ei dal gan y bobl tu allan a'i harddangos fel Rhyfeddod Erchyll o'r Byd Tu Hwnt, ond esgus tila oedd hynny. Gwir ei bod bron yn rhy dew i symud a heb fod mor ysgafn ei throed, ond roedd ei doniau hela yn dal i fod yn rhai arbennig.

'Dim ond rhywun mor ddwl â thi fyddai'n gorfod cael peiriant i dy helpu i ddwyn plant,' meddai Sothach. 'Roeddwn i'n llwyddo i wneud gwaith rhagorol heb yr un.'

'Eiddigeddus wyt ti,' meddai Sglyfath, yn

chwerw iawn. 'Am nad wyt ti'n cael gadael y castell, rwyt ti'n ceisio deall y peiriant. Wnei di byth, waeth pa mor galed y byddi di'n ceisio. Felly cadw draw, neu mi ddefnyddia i'r peiriant arnat TI.'

Fel arfer, pan gâi Sothach gerydd, roedd hi'n haeddu cerydd. Ond y tro hwn, fel y gwyddom, roedd wedi cael bai ar gam. Roedd Sglyfath yn ei beio am rywbeth nad oedd hi wedi ei wneud. Y peth braf am chwarae tric yw'r hwyl o wneud hynny. Y rhan annifyr yw cael y cerydd. Ond gan ei bod eisoes wedi cael cerydd, fyddai waeth iddi gael y boddhad o chwarae tric ta beth. Meddyliodd am amser maith am dric da.

Cas beth Sglyfath oedd triog. Roedd hyn yn mynd yn ôl i'r adeg pan oedd Sglyfath yn fabi, pryd yr aeth tun triog yn sownd am ei ben. Fydde hi ddim mor ddrwg petai'r tun wedi bod yn wag, ond roedd yn llawn dop. Treuliodd Sglyfath dair awr yn y tywyllwch gyda'r triog gludiog yn llenwi ei glustiau a'i drwyn nes iddo lwyddo i ddod yn rhydd. Ers hynny, ni allai Sglyfath oddef lliw triog, arogl triog na'r enw triog. Dyna rywbeth na fyddai Sothach byth yn ei anghofio.

Gyda thun mawr o driog dan ei braich, cymerodd Sothach allweddi ei gŵr a mynd i'r Stafell Berig. Agorodd gaead y tun ac arllwys ei gynnwys dros y llawr i gyd. Roedd y triog yn garped trwchus dros y llawr. Llanwyd y stafell ag arogl triog.

Wrth gwrs, pan aeth Sglyfath i'r Stafell Berig, ni edrychodd i ble roedd yn mynd. Y peth cyntaf a sylwodd oedd fod ei draed yn sownd yn y llawr. Yna gwelodd fod y llawr wedi ei beintio'n ddu . . . Yna daeth arogl i'w

ffroenau, arogl erchyll, cas, AROGL AN-
NIODDEFOL, arogl oedd yn ei fygu ac yn llosgi
ei lygaid, AROGL TRIOG!!!!!!

Bu'r cyfan yn ormod iddo.

'ARGHARGH!!' sgrechiodd Sglyfath nes
brifo clustiau pawb o fewn clyw. 'ARGHHHHHH!
AAAAAAAARGH!!! AAAAAAA!'

Saethodd allan drwy'r ffenest yn ei wylltineb,
malodd y gwydr yn deilchion, a diflannodd yn
smotyn bach, bach dros y gorwel.

'Sglyfath dwl,' meddai Sothach.

Lledaenodd y gair yn gyflym drwy'r castell.
Roedd Sglyfath wedi mynd.

Anrheg Sgerbwd

'Mae Sglyfath wedi diflannu . . . mae Sglyfath wedi diflannu . . . Sglyfath wedi diflannu . . . ' lledodd y gair drwy'r castell.

Y funud y clywodd Sniffyn hyn, gwyddai mai nawr oedd ei gyfle. Oni bai ei fod yn gwneud rhywbeth yn awr byddai Sam a Caswallon a phob un o'r plant eraill yn yr Ystafell Ddial. Ni allai anghofio ychwaith am y llun ar y sgrin o Hana annwyl mewn cawell. Rhaid oedd iddo ei chael yn rhydd.

Yn stafell Sniffyn yr oeddynt—Sniffyn, Stwmp, Brensiach a Hergwd Sgerbwd. Roedd Sniffyn a Brensiach wedi adrodd yr hanes am y Stafell Berig a'r cyfrifiadur wrth y ddau arall ac roeddynt wedi eu synnu'n fawr. Wyddai Hergwd na Stwmp beth yn hollol oedd cyfrifiadur, ond roedd o'n swnio'n beth peryglus iawn.

Doedd dim sbonc yn Stwmp ac roedd pawb yn dawedog iawn heb wybod beth i'w wneud. 'Radeg honno y sylwodd Sniffyn ar y tlws aur a grogai am wddw Hergwd Sgerbwd.

'Hergwd Sgerbwd, beth yn y byd sydd gen ti am dy wddw?' gofynnodd Sniffyn.

'Angrheg,' atebodd Hergwd.

'Anrheg gan bwy?'

'Brensiach,' meddai Hergwd Sgerbwd gyda gwên. 'Rydwig wedig ei rhoi ar lingyn ar fy ngwddwg fel mae pobl grand yn gwneud . . . '

'Mae hi'n edrych fel allwedd i mi,' meddai Sniffyn.

'Nage, angrheg ydig hi.'

'A ble gefaist ti'r fath anrheg, Brensiach?' holodd Sniffyn.

'O'r Stafell Berig,' meddai Brensiach.

'O'r Stafell Berig!' meddai Sniffyn yn methu credu ei glustiau. 'Pam yn y byd mawr oeddet ti'n cymryd rhywbeth o fan'no?'

'Roedd hi mor dlws . . . ' meddai Brensiach.

'Hergwd Sgerbwd, ga i olwg arni?' holodd Sniffyn.

Ac yn wir, yr oedd Sniffyn yn iawn. Allwedd oedd y tlws a grogai am wddw'r sgerbwd— allwedd aur. Teimlai Sniffyn ym mêr ei esgyrn ei fod yn edrych ar rywbeth pwysig iawn. Allwedd i beth ydoedd? Beth fyddai mor bwysig i Sglyfath fel ei fod yn gorfod cael allwedd o aur? . . . Doedd bosib . . . meddyliodd Sniffyn . . . A feiddiai obeithio? A feiddiai obeithio ei fod yn edrych ar yr allwedd yr oedd wedi dyheu cyhyd amdani?

'Wyddost ti beth ydw i'n ei feddwl ydi hon?' meddai Sniffyn ymhen hir a hwyr.

'Angrheg ydig hi.'

'Allwedd ydi dy anrheg di, Hergwd Sgerbwd,

ac mae'n bosib ei bod hi'r allwedd fwyaf gwerthfawr yn y castell 'ma. Oni fyddai'n wych, Hergwd Sgerbwd, os mai hon fyddai'r allwedd i ble mae Sglyfath yn cadw'r plant?'

'Myn asgwrn i, ar fy ngwich, dynag beth fyddaig yn fegnigedig.'

Gwenodd Sniffyn, roedd yn hoffi'r ffordd yr oedd Hergwd Sgerbwd yn siarad.

'Wyt ti'n meddwl y cawswn i ei benthyg?' gofynnodd Sniffyn yn obeithiol.

'Cawswch!' meddai Hergwd Sgerbwd, ond yna cofiodd am Brensiach. 'Gos nad oes gwahaniaeth gan Brensiach . . . Byddaig yn dda gael y plant yn rhydd, yn byddaig, Brensiach?'

Cytunodd Brensiach yn frwd.

'Ond i mig ei chael hi'n ôl, wedyn, ynteg Sniffyn?'

'Cei, cei,' meddai Sniffyn. 'Dim ond cael ei benthyg hi sydd arna i ei eisiau. Mae'n well i chi'ch dau aros yn fan hyn. Stwmp, ddoi di efo mi?'

'Crawc,' meddai Stwmp.

Wrth adael yr ystafell, meddai Sniffyn:

'Pe digwydd i mi fod mor lwcus â llwyddo i agor carchar y plant gyda'r allwedd . . . beth wnaf i wedyn? Fyddai'n well dod â'r plant yn ôl i fan hyn?'

Edrychodd pawb ar ei gilydd.

'Wel, mae Sglyfath wedi mynd, ond mae Sothach a Pwdryn yn dal o gwmpas,' meddai Stwmp. 'Beth petaen nhw'n dod o hyd i ni ar ein ffordd yma?' Roedd gan Stwmp fwy o ofn Pwdryn na neb.

'Allwch chi guddio yn fy nghwpwrdd ig,' meddai Hergwd Sgerbwd.

'Neu . . . ' meddai Brensiach, oedd eisiau bod yn rhan o'r cynllun, ond oedd heb na chwpwrdd na stafell i'w cynnig. 'Neu . . . ' meddai hi eto. A dyna pryd y cafodd hi'r syniad gorau oedd hi erioed wedi ei gael yn ei bywyd.

'Neu . . . mi allech chi gyd droi yn ysbrydion fel fi!'

'A dweud y gwir, byddaig hynny reit handig,' meddai Hergwd Sgerbwd, 'yna fe gallai pawb ddiang drwy gerdded drwy'r drws.'

'Mae hynny braidd yn wirion a ninnau'n meddwl fod ganddon ni'r allwedd,' meddai Stwmp yn reit sych.

'Ond fyddai o ddim mor wirion cerdded drwy'r castell gyda chynfas wen ar eich pen . . .'

meddai Brensiach.

'A dwy goes bren!' meddai Hergwd Sgerbwd.

'Brensiach annwyl, annwyl! Rwyt ti wedi taro'r hoelen ar ei phen! Dyna'r ateb!' meddai Sniffyn yn gynhyrfus.

Wyddai neb arall yn iawn beth oedd a wnelo hoelen â hyn, ond roedd Sniffyn wedi cynhyrfu'n eithriadol.

'Wrth gwrs! Petaen ni i gyd yn cerdded o'r carchar gyda chynfas drosom, fydden ni ddim yn edrych fel plant ... Fydden ni i gyd yn edrych—fel YSBRYDION!'

Petai gan Brensiach waed yn ei chorff, byddai wedi gwrido.

'Oes rhywun yn gwybod ble gawn ni gynfasau?' holodd Sniffyn.

'Cwpwrdd cynfasau,' meddai Brensiach. 'Mae 'na filoedd o gynfasau yno. Dydi Sothach ddim wedi newid dillad unrhyw wely ers tua hanner can mlynedd.'

'Mae gen i flys talu'n ôl i Sglyfath am y pethau erchyll mae o wedi eu gwneud i ni . . .' meddai Sniffyn.

'A finnag hefyd,' meddai Hergwd Sgerbwd.

Cytunai pawb, ond yn gyntaf, rhaid oedd mynd i lawr i'r seler i geisio achub y plant. Sniffyn a Stwmp a aeth gan fynd â llwyth o gynfasau gyda hwy.

Drwy Ddrws y Carchar

Wrth gerdded i lawr tua'r seler, roedd calon Sniffyn yn curo mor uchel fel y tybiai fod pawb yn ei chlywed. Unrhyw funud, roedd ganddo ofn gweld Sothach neu Pwdryn yn dod i'r golwg. Yn ffodus, ni welwyd yr un ohonynt; doedd Pwdryn ddim yn y gegin, a chyrhaeddodd Sniffyn y drws. Roedd Stwmp ym mhoced Sniffyn yn gofalu am yr allwedd.

'Barod,' meddai Sniffyn, a chymerodd yr allwedd. Edrychodd arni'n sgleinio ar gledr ei law. Gobeithio mai hon fyddai'r allwedd. Ni wyddai Sniffyn beth i'w wneud petai'r cynllun hwn yn methu. Gosododd y cynfasau ar y llawr a theimlodd mai gwell fyddai iddo ddweud rhywbeth wrth yr allwedd yn gyntaf rhag ofn, dim ond rhag ofn, ei bod yn allwedd hud.

'Allwedd fechan, gallu mawr
Helpa fi i goncro'r cawr.'

Ac wrth ddweud y geiriau hynny, gosododd yr allwedd yn nhwll y clo a dal ei wynt. Oedd, roedd yn ffitio! Yn araf, o, mor araf, trodd hi'n ofalus, a chlywodd glic. Oedd! roedd o wedi llwyddo! Roedd o wedi llwyddo i agor carchar y plant!

Agorodd y drws yn araf bach gan hanner dis-
gwyl i law Sglyfath ddisgyn ar ei war unrhyw
eiliad. Ond doedd Sglyfath ddim o gwmpas,
roedd yn bell, bell i ffwrdd.

Wrth agor y drws, synnodd Sniffyn o weld
nad oedd fawr o olau yn yr ystafell. Wedi i'w
lygaid gyfarwyddo â'r hanner gwyll, sylwodd
ar dri neu bedwar o blant yn gafael yn dynn yn
ei gilydd ac yn rhythu mewn ofn ar y drws.
Wrth gwrs! Roedden nhw'n disgwyl gweld
Sothach neu Sglyfath yn cerdded drwyddo!
Dychmygwch eu syndod o weld bachgen bach
yr un oed â hwy yn sefyll yno mewn côt wely a
phen llyffant yn sbecian o'i boced.

'Helô,' meddai Sniffyn, yn teimlo'n swil
iawn.

Ni ddywedodd yr un o'r plant air. Ceisiodd
Sniffyn gofio beth oedd enw'r plentyn y
siaradodd ag o yr ochr arall i'r drws yn ystod ei
ddyddiau cyntaf yn Gyrn Wigau.

'Amos . . . oes 'na unrhyw un ohonoch chi o'r
enw Amos?' gofynnodd.

Ddywedodd neb 'run gair, ond trodd y plant
eraill i edrych ar fachgen bach mewn côt fawr a
sbectol.

'Ti ydi Amos?' gofynnodd Sniffyn ac amneid-
iodd y bachgen.

'Ddaru mi siarad efo ti o'r ochr arall i'r drws
beth amser yn ôl . . . Dywedais y byddwn i'n
trio eich helpu chi.'

'Beth yw dy enw di?' gofynnodd un o'r

Caswallon ei gwallt.

'Ow! Ow!' meddai Sothach.

Mewn dim, yr oedd y plant wedi amgylchynu Sothach ac roeddent wrth eu boddau yn ei phinsio a'i phiwsio. Tynnodd rhai yn ei gwisg, gwasgodd eraill ei thrwyn tra câi ambell un hwyl fawr yn siglo ar gydynnau ei gwallt.

'Stopiwch da chi, pwy bynnag ydych chi . . . Da chi, stopiwch!' meddai Sothach.

Yn y diwedd, penderfynodd Sniffyn fod yn rhaid i rywun alw trefn er cymaint o hwyl roeddynt yn ei gael.

'Dowch yn eich blaenau, dyna ddigon,' meddai Sniffyn. 'Dilynwch fi i'r stafell.'

A dilynodd haid o ysbrydion bach ef, wedi cael gwell hwyl nag a gawsant ers cantoedd.

DYCHRYN SGLYFATH

'Felly, beth ydych chi'n feddwl ydi'r syniad gorau?' gofynnodd Sniffyn.

Roedd pawb yn ôl yn stafell Sniffyn erbyn hyn. Cyflwynwyd hwy i Hergwd Sgerbwd a Brensiach, ac er bod pawb yn dawel iawn ar y dechrau, ddaru neb sgrechian na rhedeg i ffwrdd. Roedd Hergwd Sgerbwd a Brensiach hwythau'n dawel gan nad oeddynt wedi bod mor agos at gymaint o blant o'r blaen. Ond pan adroddodd Sniffyn yr hanes amdano ef a'r plant yn dychryn Sothach, chwarddodd y ddau yn harti a daeth pawb i deimlo yn fwy cartrefol yng nghwmni ei gilydd.

'Beth yn eich barn chi yw'r syniad gorau?' gofynnodd Sniffyn eto, ac atebodd pawb ag un llais:

'Malu'r Cyfrifiadur!'

'Syniad da iawn,' meddai Sniffyn, 'oes yna unrhyw gynigion eraill?'

'Achub y plant eraill o'r Ystafell Ddial,' meddai Amos.

'Wrth gwrs, bydd yn rhaid i ni ganfod ffordd o wneud hynny,' meddai Sniffyn gan feddwl am Hana. 'Oes rhywun eisiau awgrymu syniad arall?'

'DAL SGLYFATH!' ychwanegodd Amos—
yr hogyn bach mewn côt fawr a sbectol.

'HWRÊ!!' meddai pawb arall.

'Mi allai hynny fod dipyn bach yn anodd . . . '
meddai Sniffyn.

'Wel, does dim byd yn ein stopio ni rhag ei
ddychryn o beth bynnag,' meddai Caswallon,
oedd wedi cael mwy o flas na neb ar ddychryn
Sothach. Doedd o erioed wedi codi ofn ar neb
o'r blaen.

'Ie!' meddai'r plant yn frwd, 'gadewch i ni
godi ofn ar Sglyfath.'

'Ydi o wedi dod yn ôl eto, ŵyr rhywun?'
holodd Sniffyn, ac wedi trafod brwd, trafod-
wyd y cynllun beiddgar o guddio yn stafell
Sglyfath ac aros nes y deuai'n ôl. A dyna'n
union a wnaethant . . .

Wedi iddo ddod yn ôl i Gyrn Wigau y noson
honno, aeth Sglyfath i'w wely a dechrau pigo ei
drwyn. Roedd golau bach ganddo wrth ymyl
ei wely . . .

Tu mewn i'r cwpwrdd dillad yn yr un stafell,
yr oedd Sniffyn a'i ffrindiau yn cuddio ers
hydoedd ac yn ysu am gael dod allan. Yr oedd-
ynt wedi dyfeisio cynllun uchelgeisiol, ond
roedd yn gofyn am dipyn go lew o blwc, a wyddai
Sniffyn ddim a fyddent yn llwyddo. Un peth
oedd yn sicr, os byddent yn methu, fydden nhw
byth yn dod allan o Gyrn Wigau'n fyw . . .

Agorodd Sniffyn ddrws y cwpwrdd yn araf, araf. Ddaru Sglyfath ddim sylwi am dipyn achos roedd yn rhy brysur yn pigo ei drwyn. Dim ond pan gamodd rhywbeth allan o'r cwpwrdd dillad y cododd Sglyfath ei ben. Roedd yn meddwl mai Brensiach oedd hi i ddechrau, ond roedd hon yn rhy fach i fod yn Brensiach. Doedd hi ddim mwy na phedair troedfedd.

'Bŵ-hŵ!!' meddai'r ysbryd a chamu'n ôl i'r cwpwrdd.

Rŵan, roedd gan Sglyfath broblem—doedd o ddim yn credu mewn ysbrydion. Ac eto, roedd o newydd weld ysbryd â'i lygaid ei hun! Nawr ei fod wedi mynd, penderfynodd Sglyfath godi a mynd i edrych yn y cwpwrdd dillad. Roedd braidd yn ofnus, ond roedd yn rhaid iddo fentro. Yn syth wedi iddo godi, clywodd sŵn yn dod o gyfeiriad y gwely. Pan drodd i edrych, dyna lle'r oedd rhywun yn y gwely— roedd yr ysbryd bach yn ei wely! Sut yn y byd y cyrhaeddodd o fan'no?

'Hi hi!' meddai'r ysbryd bach fel petai'n chwerthin am ei ben.

'Sglyfath a'm helpo!' meddai Sglyfath, a throdd at yr ysbryd.

'Ffwrdd â ti!' meddai wrtho.

Ar y gair, diflannodd yr ysbryd, ac roedd Sglyfath ar fin mynd yn ôl i'w wely pan welodd ben *dau* ysbryd yn codi o dan y cynfasau. Tri, pedwar, pump, chwech, saith! Roedd *saith*

ysbryd yn y gwely!

'Gŵer a'n gwaredo,' meddai Sglyfath a sylweddolodd fod ei ddannedd yn crynu. Syllodd ar ei byjamas. Roedd ei byjamas yn crynu hefyd! Roedd ei freichiau a'i goesau, a phopeth arall yn crynu fel jeli.

'I ffwrdd â chi!'

Wnaethon nhw ddim symud. Ni symudodd yr un o'r ysbrydion, dim ond gorwedd yn y gwely yn chwerthin yn wirion. O dan y gwely, gwelodd Sglyfath res o ysbrydion yn gwenu'n slei arno. Agorodd drws y cwpwrdd yn sydyn a thaflodd ysbryd bach ei ben allan.

'Bi-pô!' meddai'r ysbryd.

O'r tu mewn i'r cwpwrdd, yn ofalus iawn, gwthiodd Sniffyn fraich Hergwd Sgerbwd allan. Roedd o wedi cael ei benthyg i godi ofn ar Sglyfath. Gyda'r fraich, rhoddodd hergwd bryfoclyd i Sglyfath ar ei ben-ôl. Gwylltiodd Sglyfath. Doedd dim byd yn waeth ganddo na phobl yn gwneud sbort am ei ben. Trodd i weld asgwrn yn dod o'r cwpwrdd.

'Be s'arnach chi eisiau, y peth anghynnes? Pam na wnewch chi adael llonydd i mi?'

'Ewch i'r Stafell Ddial—ewch!' meddai Sniffyn gan siarad drwy ei drwyn.

'Na wnaf i!' meddai Sglyfath yn hy. Cododd Sniffyn goes Hergwd Sgerbwd o'r cwpwrdd a chicio Sglyfath â hi.

'Paid ti â meiddio siarad felly â Brenin yr Ysbrydion,' meddai Sniffyn, o'r cwpwrdd.

'Hebrwng ni i'r Stafell Ddial, neu bydd yn edifar gennyt!'

Ar hynny, daeth Sniffyn allan o'r cwpwrdd, a chynfas yn cuddio ei ben, tra ceisiai yntau ei gynnal ei hun ar goesau Hergwd Sgerbwd fel dyn yn cerdded ar brennau uchel. Dychrynwyd Sglyfath gymaint gan y ddrychiolaeth hon fel nad oedd ganddo fawr o ddewis ond arwain y ffordd at yr Ystafell Ddial. Wrth fynd i lawr y coridor tywyll, roedd yr ysbrydion bach yn ei biwsio gan dynnu ei ddillad a'i binsio.

'Aw, peidiwch! Gadewch lonydd i mi! Gadewch lonydd i mi! Gadewch lonydd i Sglyfath druan—beth ydw i wedi ei wneud i chi erioed?' meddai Sglyfath.

Roedd hynny yn beth sobor o wirion i Sglyfath o bawb ei ddweud dan yr amgylchiadau gan mai ef oedd wedi dwyn yr holl blant gan wneud eu bywyd mor ddiflas. Cafodd gic hegar yn ei ben-ôl eto.

'Aw!' meddai Sglyfath.

Roedd y plant yn mwynhau hyn. O'r diwedd, daethant at ddrws y Stafell Ddial. Er eu bod yn cuddio dan y cynfasau, roedd pob un o'r plant yn teimlo'n nerfus.

'Dyma'r stafell,' meddai Sglyfath.

'Agor hi!' meddai Sniffyn yn gas.

'Ddim ar boen fy mywyd i!' meddai Sglyfath, 'does neb yn cael mynd i mewn i fan hyn.'

'Agor hi'r Sglyfath dwl,' meddai Sniffyn yn gas iawn, 'neu fydd dy fywyd di ddim gwerth ei fyw. Wyt ti'n meddwl ein bod wedi dod â thi yma i *edrych* ar y drws?'

Ar hynny, daeth rhyw ofn mawr dros Sglyfath, ac yn gyndyn iawn, estynnodd y goriad. Gwyliodd Sniffyn ef yn agor y drws. Oedd o'n gweld pethau, neu a oedd llaw Sglyfath yn crynu mewn gwirionedd? Oedd, roedd hi *yn* crynu— roedd gan Sglyfath ofn! Doedd yr un o'r plant yn siŵr iawn beth i'w ddisgwyl, ond pan agorodd Sglyfath y drws cawsant eu dychryn yn ddychrynllyd.

Dyna lle'r oedd eu ffrindiau yn edrych yn druenus tu hwnt—pob un mewn cawell fawr, a phrin yn gallu symud. Bu bron i ambell un o'r ysbrydion weiddi mewn dychryn pan gofiasant yn sydyn nad oedd ysbrydion i fod i gael eu dychryn (wel, ac eithrio Brensiach). Edrychai rhai o'r plant yn y cewyll yn welw iawn, a'u hwynebau yn fain. Roedd yn amlwg nad oeddynt wedi cael pryd iawn o fwyd ers amser maith. Pan glywsant y drws yn agor a Sglyfath yn dod i mewn, llanwodd eu calonnau ag ofn, ond pan welsant ugain o ysbrydion yn ei ddilyn, roeddynt wedi dychryn ganwaith fwy a dechreuasant sgrechian. Ni fyddai eu sgrechian wedi dychryn chwannen. Roedd mor egwan fel y prin y gallech ddweud mai sgrechian yr oeddynt.

Roedd yn gas gan Sniffyn feddwl ei fod yn codi ofn ar y plant, ond doedd ganddo fawr o ddewis.

'O'r gorau, fy ngweision ffyddlon,' meddai Sniffyn o dan ei gynfas, 'dechreuwch ar y gwaith.'

Aeth at y gawell lle'r eisteddai Hana a gwelodd Hana yn cau ei llygaid mewn ofn. Dechreuodd hi feichio crio wrth i Sniffyn a'r lleill droi'r gawell drosodd, a gwthiodd Sniffyn ei law dan y gynfas yn sydyn a gafael yn ei llaw.

'Paid â phoeni, Hana, Sniffyn sydd yma,' sibrydodd.

Byddai wedi bod yn werth chweil i chi weld wyneb Hana. Edrychodd yn hurt i ddechrau, a'i dwy lygad fel soseri. Yna, dechreuodd ddeall beth oedd yn digwydd, a daeth golwg o ryddhad dros ei hwyneb. Bron nad oedd gwên ar fin ffurfio ar ei gwefusau, ond sylweddolodd fod perygl iddi fradychu Sniffyn. Gadawodd i'w chorff fynd yn llipa, a rowliodd yr ysbrydion ei chawell o'r ystafell.

'Be-be-beth ydych chi'n ei wneud?' gofynnodd Sglyfath yn nerfus.

Roedd wedi cymryd blynyddoedd iddo ddwyn y plant hyn, a nawr roedd yn eu gweld yn diflannu o flaen ei lygaid. 'D-d-does gennych chi ddim hawl . . .' mentrodd.

Gafaelodd Sniffyn yn Sglyfath gerfydd ei wallt.

'Dim hawl? Mae gan Ysbrydion y Wigau hawl i wneud unrhyw beth—a beth bynnag, nid chi sydd pia nhw—wedi eu dwyn yr ydych, he he he!'

Gweithiodd yr ysbrydion yn sydyn iawn yn rowlio'r cewyll allan fesul un o'r stafell cyn eu hagor a rhyddhau y plant. Roedd yn anodd iawn i'r ysbrydion beidio siarad â'r plant, a hwythau heb eu gweld ers cyhyd, ond doedd wiw iddynt ddangos nad ysbrydion oeddynt.

Pan oedd y stafell yn wag trodd Sniffyn at Sglyfath gan ofyn i'r ysbrydion eraill, 'Beth wnawn ni â'r creadur truenus hwn?'

'Rhoi cic iawn yn ei din,' meddai un ysbryd bach.

'Syniad da iawn,' meddai Brenin yr Ysbrydion, a rhoi cic iawn i Sglyfath.

'Unrhyw syniadau eraill?'

'Tynnu ei ddannedd i gyd allan!' meddai rhywun arall.

'Clymu ei goesau â nadroedd byw!' meddai rhywun.

Doedd dim prinder syniadau.

Edrychodd Sglyfath o'i gwmpas mewn dychryn i weld a oedd unrhyw fodd o ddianc ond roedd yn amhosibl. Roedd yr ysbrydion bach wedi ffurfio cylch o'i amgylch, ac yn awr, roedd y cylch yn mynd yn llai, a'r ysbrydion yn closio ato.

'Na . . . na! Peidiwch da chi! Gadewch lonydd i mi!' crefodd Sglyfath mewn llais oedd yn agos at ddagrau.

'Wel' meddai Sniffyn, 'fy hun, fe fyddai'n well gen i ei rostio'n fyw . . .'

'Hwrê!' bloeddiodd pawb.

Erbyn hyn, roedd dafnau o chwys i'w gweld ar dalcen Sglyfath.

'Ond does gen i ddim byd i gynnau tân ar hyn o bryd, felly mi gadwn ni Sglyfath yn un o'r cewyll hyn,' meddai Sniffyn.

Rowliodd dau ysbryd gawell ato.

'Na—nid honna, mae'n llawer rhy fawr,' meddai Sniffyn. 'Dewisiwch un llai i'w gwneud yn fwy anghyfforddus i'r gŵr anfonheddig yma. Mi ddysgwn ni wers iddo fo am sarhau Brenin yr Ysbrydion.'

Gwthiwyd Sglyfath i mewn i'r gawell ac roedd y drws yn cloi ohono'i hun. Roedd pawb wrth eu bodd yn gweld Sglyfath mewn cawell a dechreuasant ddawnsio o'i gwmpas gan ganu,

'Yr andros fawr, yr andros wych,
Choeliwch chi ddim, choeliech chi byth!
Tu ôl i farrau haearn yn awr
Mae Sglyfath nawr yn gaethwas.'

'Eitha gwaith i ti, Sglyfath!' meddai Sniffyn, a heb allu goddef cuddio ei hun eiliad yn rhagor, tynnodd Sniffyn y gynfas oddi amdano a bu bron i Sglyfath lewygu pan welodd pwy oedd yno. Roedd Sniffyn bach—o bawb— wedi ei dwyllo!!!

'Welais i erioed greadur mor gas ac annifyr â thi, Sglyfath,' meddai Sniffyn yn cael dweud ei feddwl wrth Sglyfath am y tro cyntaf ers iddo gyrraedd Gyrn Wigau. 'Dwyt ti'n ddim byd ond sglyfath creulon cas sy'n hoffi dwyn plant a'u

brifo. Wel, dyma ti dipyn o flas dy ffisig dy hun. Treulia noson neu ddwy mewn cawell i ti gael gweld beth mae'r plant druain wedi gorfod ei ddioddef.'

Ac ar hynny dyma gau'r drws ar Sglyfath.

'Dowch,' meddai Sniffyn wrth yr ysbrydion bach, 'rhedwch nerth eich traed.'

Ac i ffwrdd â hwy.

Hud

Wedi i Sothach gael ei dychryn gan yr haid o ysbrydion, fe arhosodd yn ei llofft am y rhan fwyaf o'r dydd. Bu'n dyfalu pwy oedd yr ysbrydion dieithr rheini. Teimlad anghyfforddus iawn oedd peidio gwybod pwy oedd yn eich cartre. Efallai mai Sglyfath a'i gadawodd hwy i mewn . . . A sôn am Sglyfath, meddyliodd Sothach, lle'r oedd o? Doedd hi ddim wedi ei weld ers ben bore. Fyddai Sothach ddim yn hapus oni wyddai lle'r oedd Sglyfath. Os oedd Sglyfath yn dawel, roedd o naill ai yn paratoi tric ar ei chyfer, neu yn cuddio yn rhywle yn aros i'w dychryn. Roedd Sothach wedi cael ei dychryn hen ddigon y diwrnod hwnnw fel yr oedd pethau, heb sôn am gael sioc arall. Yna meddyliodd, wfft i Sglyfath a'i driciau. Ni fyddai'r un tric gystal â'r syniad a gafodd o roi triog ar lawr stafell y cyfrifiadur. Doedd Sglyfath ddim wedi bod yr un fath ers hynny.

Aeth Sothach i lawr i'r gegin a gofyn i Pwdryn wneud dau ginio—un arferol iddi hi, ac un arbennig o hyll i Sglyfath. 'Rho'r pethau mwyaf ffiaidd ynddo—unrhyw beth sydd gen ti wedi llwydo neu wedi mynd yn ddrwg—rho fo ynddo,' meddai Sothach.

Edrychodd Pwdryn yn y cwpwrdd.

'Mae popeth wedi llwydo yma,' meddai.

'Argh! Y Pwdryn pwdr—beth sydd ar ôl i mi
'te?' sgrechiodd Sothach.

Fel rheol, ni fyddai wahaniaeth gan Sothach
beth fyddai'n ei fwyta, meddyliodd Pwdryn.
Roedd yn rhy farus i sylwi ar ei bwyd, yr unig
beth a'i poenai oedd ei bod yn cael mwy na
Sglyfath.

'Mi wnaf i rywbeth arbennig o neis i chi,
Sothach,' meddai Pwdryn. 'Fydd o mor neis fel
na chredwch chi mai Pwdryn a'i gwnaeth.'

'Dyna'r unig ffordd rwyt ti'n mynd i achub
dy groen,' meddai Sothach, 'a well i ti siapio hi
hefyd—dwi bron â llwgu.'

Bu ond y dim i Pwdryn ei hatgoffa mai
newydd gael ei brecwast oedd hi, ond pender-
fynodd gau ei geg.

Mewn rhan arall o'r castell, yr oedd Sniffyn
yn crwydro o gwmpas i wneud yn siŵr nad
oedd neb wedi sylwi eto fod y plant wedi
diflannu. Fel yr oedd yn mynd heibio'r ddôr,
digwyddodd rhywbeth rhyfedd iawn. Curodd
rhywun ar y drws. Roedd yn sŵn mor ddieithr
fel y stopiodd Sniffyn yn stond. Nid oedd neb
erioed wedi curo ar ddrws y castell o'r blaen.
Fyddai neb yn dod drwy'r drws ar wahân i
Sglyfath ac roedd o'n rhy anfoesgar i freu-
ddwydio am guro. Fodd bynnag, dallai Sglyfath

143

byth fod yr ochr arall i'r drws yn awr—roedd wedi ei gloi mewn cawell yn y Stafell Ddial.

Roedd yn sŵn mor ddieithr fel y bu raid i Sniffyn feddwl yn hir i gofio beth ddylai wneud.

'Cnoc, cnoc.'

Dyna'r sŵn eto; roedd y curo yn fwy taer y tro hwn.

'Pwy sy'n curo?' gofynnodd Sniffyn.

'Fi,' meddai llais bach.

'Dowch i mewn,' meddai Sniffyn.

'Mi fyddai hynny'n haws petaech yn agor y drws,' meddai'r llais.

Dyfalodd Sniffyn pa fath o berson fyddai berchen y llais. Doedd o ddim am agor y ddôr i rywun peryglus gael dod i mewn. Roedd digon o bethau peryg tu mewn i'r castell heb sôn am agor y drws i fwy.

'Dywedwch rywbeth,' meddai Sniffyn.

'Fel beth?' gofynnodd y llais.

'Rhigwm,' meddai Sniffyn.

Pesychodd y llais cyn adrodd:

'Mae *dail* y coed yn Ystrad Fflur
Yn murmur yn yr awel,
Yn beraidd iawn eu lliw a'u llun,
Ond mae *tail* yn go wahanol.'

Gwrandawodd Sniffyn yn astud. Roedd yn llais peraidd—llais bach ysgafn. Roedd yn llais a'i hatgoffai o awyr iach ac awel a miwsig. Doedd o ddim yn llais oedd yn codi ofn arno o gwbl. Yn wir, roedd yn awyddus iawn i weld

pwy oedd berchen y fath lais swynol. Pender-
fynodd agor y drws.

Tylwyth Teg oedd yn sefyll ar y rhiniog.

'Dydych chi ddim mor hyll â hynny,'
meddai'r Tylwyth Teg.

'Ddeudodd rhywun 'mod i?' holodd Sniffyn
yn ddigalon.

'Nhw ddaru ddweud fod rhywun ofnadwy o
hyll yn byw yma, ac nad oeddwn i fod i
ddychryn gormod,' meddai'r Tylwyth Teg.

'O, Sothach a Sglyfath . . .' meddai Sniffyn.

'Sothach a sglyfath i chithau, y creadur

anfoesgar,' meddai'r Tylwyth Teg.

Sylweddolodd Sniffyn ei fod wedi gwneud smonach ohoni, a rhoddodd gynnig arall arni.

'Beth yw eich enw chi?' holodd yn swil.

'Hud,' meddai.

'Mi af i ddweud wrth rywun,' meddai Sniffyn, ac i ffwrdd â fo i chwilio am Sothach.

Dyna'r cyfan ydw i ei eisiau, meddyliodd Sniffyn. Does 'na neb wedi galw yma ers blynyddoedd, ac ar yr union amser mae gen i ddeugain o ymwelwyr yn fy stafell a Sglyfath dan glo, mae'n rhaid i rywun alw . . .

Daeth o hyd i Sothach yn y gegin yn ffraeo gyda Pwdryn.

'Sniffyn!' sgrechiodd Sothach. 'Ble wyt ti wedi bod yn cuddio? Wyddost ti lle mae Sglyfath?'

Fe wyddai Sniffyn yn iawn ble'r oedd Sglyfath ond doedd o ddim am ddweud wrth Sothach.

'Dim syniad,' meddai Sniffyn, ' . . . mae 'na Dylwyth Teg wrth y ddôr eisiau eich gweld.'

'Does 'na ddim ffasiwn bethau,' meddai Sothach.

'Go-iawn!' meddai Sniffyn.

'Gad dy gelwydd neu mi fyddi di'n difaru,' meddai Sothach.

'Ar fy myw!' gwaeddodd Sniffyn.

'Ar dy farw os na fyddi di'n ofalus,' meddai Sothach. 'Dos o'ma, y sinach c'lwyddog.'

Pan aeth Sniffyn yn ôl at y ddôr doedd

neb yno.

'A wel,' meddai Sniffyn wrtho'i hun wrth gau'r drws, 'mae'n rhaid mai sinach c'lwyddog ydw i wedi'r cwbl.'

'Naci,' meddai'r cloc.

'Ia,' meddai Sniffyn cyn sylweddoli nad oedd clociau yn arfer siarad.

'Ydi'n saff i mi ddod allan?' meddai'r llais. Hud oedd yno, wedi cuddio y tu ôl i'r cloc.

'Ydi am wn i,' atebodd Sniffyn. 'Dydi Sothach ddim yn credu eich bod yn bod.'

'Y?'

'Does 'na ddim ffasiwn bethau â chi, ddeudodd Sothach.'

'Hy, mi gawn ni weld am hynny,' meddai Hud yn flin. Roedd hi wedi cael digon ar bobl oedd ddim yn credu mewn Tylwyth Teg.

'Pam oeddech chi'n mentro yma?' gofynnodd Sniffyn.

''Mond i ddymuno Nadolig Llawen,' meddai Hud.

'Dolig ??' meddai Sniffyn. Roedd hi'n amser maith iawn ers iddo glywed sôn am Nadolig.

'Dydi'r rhain ddim yn credu mewn Dolig chwaith, mae'n debyg?' meddai Hud.

'Hen lol ydi o, meddan nhw,' atebodd Sniffyn.

'Rwy'n credu y byddai'n syniad i mi gyfarfod â'r bobl anwybodus yma,' meddai Hud. 'Allwch chi ddangos y ffordd i mi?'

'O, na—Na! Peidiwch â mynd yn agos atynt!'

rhybuddiodd Sniffyn.

Edrychodd Hud fel petai wedi synnu.

'Os mai chi yw'r porthor, eich lle chi yw gadael i mi weld perchenogion y castell, ac nid ceisio fy rhwystro,' meddai Hud.

Gan feddwl am y plant yn aros amdano yn ei stafell, doedd gan Sniffyn ddim amser i ddadlau. Gyda chalon drom, arweiniodd Hud at gegin Pwdryn, ac at Sothach. Roedd Sothach ar ganol bwyta ei chinio. Roedd Pwdryn wedi gwneud pryd o falwod byw a llyswennod iddi, a'r peth diwethaf oedd Sothach eisiau oedd rhywun yn tarfu arni.

'Ych,' meddai pan welodd Hud. 'Pwy adawodd i'r peth yma ddod i mewn?' gofynnodd yn flin.

'Ella nad ydych yn credu ynof fi, ac ella nad ydych yn credu mewn Dolig . . . ' dechreuodd Hud yn hy, nes i law fawr Sothach gau amdani a'i chodi i'r awyr.

' . . . Ia???' meddai Sothach, a'i hanadl drewllyd bron yn ddigon i beri i Hud lewygu.

'Faswn . . . i'n . . . licio deud . . . ym . . . Nadolig Llawen wrthoch chi,' meddai Hud druan.

'Fasech chi wir??' meddai Sothach, ac wrth iddi wenu'n sbeitlyd, daeth ei dannedd pydredig i'r golwg. 'Wel, y ffordd i'm gwneud i'n llawen fyddai bod yn dipyn o gig yn fy lobsgows i!'

Roedd Hud yn difaru iddi ddod yn agos at y castell. Wyddai Sniffyn ddim beth i'w wneud.

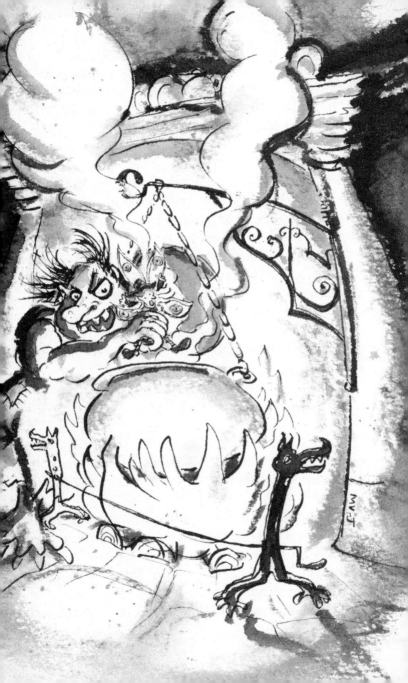

Gafaelodd Sothach yn Hud a mynd â hi i'r gegin gefn a'i gollwng i'r crochan lobsgows oedd yn ffrwtian ar y tân. Llyfodd ei gwefusau wrth feddwl am y fath swper blasus, ac aeth yn ôl at ei chinio. Yr oedd y malwod a'r llyswennod a baratôdd Pwdryn yn wirioneddol erchyll.

'Help!' gwaeddodd Hud, 'Help!'

Rhedodd Sniffyn i'r gegin gefn a gwelodd y crochan yn berwi ar y tân a mwg mawr yn dod ohono. Doedd dim golwg o Hud.

'Sniff,' sniffianodd Sniffyn.

Ond yn ffodus iawn, roedd Hud wedi dal ei gafael yn ochr y crochan, ac wedi arbed ei hun rhag marwolaeth boenus, er iddi gael cryn drafferth i ddod o'r crochan. Fu Sniffyn erioed mor falch o weld neb na phen bach Hud yn dod i'r golwg o'r crochan.

'Ydych chi'n iawn?' holodd Sniffyn gan sychu deigryn o'i foch. Roedd wedi dychryn yn arw.

'Ydw'r babi clwt . . . Mae 'na bethau llawer gwaeth wedi digwydd i mi. Oes 'na rywle y gallaf eistedd i lawr am seibiant?' gofynnodd Hud.

'Mi rodda i chi yn fy mhoced, a chewch ddod i fy ystafell,' meddai Sniffyn. 'Ddaru mi geisio eich rhybuddio chi . . . '

Yn ystafell Sniffyn, eisteddodd Hud ar y llawr a dechrau sgwrsio:

'I ddweud y gwir wrthych chi, nid dod yma i

ddymuno Nadolig Llawen ddaru mi . . . '

'Naci?'

'Naci. Roedd o'n esgus tila braidd o feddwl mai mis Mehefin ydi hi, ond fedrwn i ddim meddwl am esgus gwell ar y pryd.'

Teimlai Sniffyn yn wirion a daeth i'r casgliad nad oedd yn borthor da iawn. Dylai fod wedi gwybod nad oedd yn Ddolig. Gallai unrhyw un fod wedi dod i mewn gan ddefnyddio'r esgus yna.

Ond beth oedd diben gwarchod castell pan oedd y rhai oedd yn byw y tu mewn yn beryclach na'r rhai oedd yn byw y tu allan?

'Pam oeddech chi isio dod yma o gwbl?' holodd Sniffyn mewn syndod.

'Am 'mod i eisiau eich achub chi,' atebodd Hud. 'Ein gwaith ni yw dod o hyd i blant sydd ar goll.'

'Pwy sydd ar goll?'

'Chi.'

'Ydw i ar goll?' holodd Sniffyn mewn syndod.

'Ydych, erstalwm iawn,' meddai Hud. 'Mae eich tad a'ch mam wedi bod yn sâl yn poeni amdanoch.'

'Wyddwn i ddim fod neb yn cofio amdanaf,' meddai Sniffyn yn drist. 'Ydi Fflwff yn cofio?'

Wyddai Hud ddim beth i'w ddweud. 'Mae Fflwff yn sâl iawn,' meddai, 'nid yw wedi bwyta fawr ddim ers i chi fynd.'

Meddyliodd Sniffyn, ' . . . Nid y *chi* ydi Dodo

Hud, naci?'

'Wel, un o'r rhai sy'n helpu Dodo Hud ydw i. Tamebacho Hud yw fy enw llawn.'

'Rydw i wedi clywed llawer o sôn am y Tylwyth Hud gan Mam, ond ddaru mi 'rioed feddwl y byddwn i'n cael eich cyfarfod chi.'

'Does neb yn fy nghyfarfod i oni bai eu bod nhw ar goll,' meddai Hud.

'Pam nad ydyn ni'n dianc yn syth?' holodd Sniffyn.

'Fedrwn ni ddim,' meddai Hud yn benisel.

'Ond chi ydi Hud!'

'Dwi wedi colli fy ffon, Sniffyn, a heb fy ffon, rydw i mor ddiamddiffyn â thi.'

Edrychodd y ddau ar ei gilydd heb wybod beth i'w wneud nesaf.

Gwlychu'r Gwely

'Pwdryn . . . ' meddai Sothach mewn llais peryglus o araf.

'Ia?' meddai Pwdryn gan geisio cymryd arno nad oedd dim yn bod.

'Mae'r Tylwyth Teg wedi diflannu o'r lobsgows yma . . . '

'Diar mi . . . Sut digwyddodd hynny, deudwch?'

Cododd Sothach yn araf a gafael yn Pwdryn gerfydd ei war:

'Mi dybiwn i . . . mai *TI* a'i bwytodd!' a chyda hynny, lluchiodd Pwdryn i ben arall y gegin.

'Ar fy ngwir, Sothach, ar fy ngwir! Mae 'na bethau rhyfedd yn digwydd yn y castell 'ma. Ers i'r llyffant hwnnw ddiflannu, mae 'na bethau rhyfedd iawn yn digwydd . . . Y llyffant gynta, y Tylwyth Teg . . . ac mae hyd yn oed Sglyfath wedi diflannu . . . '

Dychrynodd Sothach.

'Nid cuddio mae o felly?'

'Pwy a ŵyr?' meddai Pwdryn, yn reit falch ei fod o wedi cael Sothach i feddwl am rywbeth arall heblaw am ei geryddu o.

'Wedi meddwl, mi gefais i brofiad digon

rhyfedd ddoe,' meddai Sothach—'mi ddaeth haid o ysbrydion wyneb yn wyneb â mi a dechrau fy mhlagio—ysbrydion na wyddwn i ddim am eu bodolaeth.'

Doedd Pwdryn erioed wedi ei chlywed mor bryderus.

'Wel—dyna chi . . . ' meddai Pwdryn. '*Mae* 'na rywbeth rhyfedd ar droed . . . '

Yn ei gwely drewllyd tamp, yr oedd Sothach yn cyfrif chwain cyn mynd i gysgu. Roedd yn rhyfedd heb Sglyfath yn y gwely nesaf yn chwyrnu'n wallgof. Doedd ganddi neb i'w gicio'n awr, neb i ffraeo ag o. Tybed a oedd o ar goll mewn gwirionedd, neu ai rwdlan fel arfer oedd Pwdryn? Ac eto, sut gallai Sglyfath fod ar goll yn ei gastell ei hun? Beth oedd yr haid o ysbrydion a ymosododd arni . . . ? Oedd, roedd pethau od *iawn* yn digwydd yn Gyrn Wigau.

Trodd Sothach ar ei hochr i fynd i gysgu. Cafodd ei deffro ar ôl tua hanner awr â thraed gwlyb. Roedd y gwely mor wlyb â gwely afon. Cododd ar ei heistedd mewn dychryn. Doedd hi erioed wedi gwlychu'r gwely? Estynnodd am y golau a gweld mai'r botel ddŵr poeth oedd yn gollwng. Pan edrychodd yn fwy craff, sylwodd ar bin fechan yn y botel. Ha, felly nid damwain mo hon! Doedd pinnau ddim yn neidio i boteli dŵr poeth ohonynt eu hunain. Ha!—dyma un o driciau Sglyfath! A hithau'n gwastraffu amser yn poeni ei fod ar goll. Mae'n siŵr ei fod yn cuddio

yn rhywle yn cael sbort fawr am ei phen. Diar mi . . . Pan edrychodd yn fwy manwl ar y bin, sylwodd ei bod yn sgleinio. Ffon hud oedd hi! Ffon hud y Tylwyth Teg! Felly nid Pwdryn a'i bwytaodd wedi'r cwbl! Sglyfath oedd wedi ei bwyta, ac mae'n ddigon posib ei fod wedi tagu ar y ffon hud ac wedi ei chadw i ddifetha ei photel ddŵr poeth hi! Roedd hwn yn dric gwael iawn . . .

Yn nhywyllwch y nos, dechreuodd meddwl Sothach chwarae triciau arni. Dechreuodd feddwl fod Sglyfath wedi llwyddo i wneud ei hun yn anweledig, a'i fod yn ei dilyn o gwmpas yn gwneud castiau cas. Roedd hynny'n achos pryder gwirioneddol . . . Dychmygodd ei bod yn gweld siapiau rhyfedd yn y tywyllwch . . . p'run o'r rhain oedd Sglyfath?

Roedd gan Sothach gymaint o ofn yn y diwedd fel y neidiodd allan o'i gwely . . . rhedodd i lawr y coridor yn wyllt yn dal y bin fach yn ei llaw.

'SGLYFATH! SGLYFATH! Tyrd i'r golwg y munud yma! Mae 'na ben draw ar wneud triciau . . . SGLYFATH DRWG O DWLL Y MWG—AROS NES 'MOD I 'N CAEL GAFAEL ARNAT!! . . . MI'TH FLINGAF DI'N FYW!!!'

Fu Sothach erioed mor wallgof. Bu'n rhedeg o gwmpas y castell a llwyddodd i ddeffro pawb—gan gynnwys Sglyfath.

Roedd Sglyfath yn dal yn sownd mewn

cawell yn y Stafell Ddial, yn teimlo'n llwglyd, yn flinedig, ac yn tosturio'n fawr wrtho'i hun. Ond doedd o ddim yn difaru o gwbl. Er ei fod wedi cael y fath gerydd gan Sniffyn, wnaeth o ddim teimlo am eiliad ei bod yn ddrwg ganddo. Y cwbl a deimlai oedd fod Sniffyn yn greadur dychrynllyd o ddrwg ac eisoes roedd yn dych-mygu sut i ddial arno pan ddôi'n rhydd. PAN ddôi'n rhydd . . . dyna oedd y cwestiwn mawr—sut oedd o i ddod o'r gawell? Pwy oedd yna i'w helpu? Am eiliad, sylweddolodd Sglyfath fod diben cael ffrindiau weithiau. Fe fyddent yn handi iawn ar adeg fel hyn . . . Doedd Sothach ddim am ei helpu. Ni fyddai'n synnu o glywed mai Sothach drefnodd y cynllun i'w roi mewn cawell. Fyddai Pwdryn ddim yn ei helpu chwaith—byddai Pwdryn yn falch iawn o gael un meistr yn llai. Na—ni allai feddwl am yr un creadur byw a fyddai'n ei helpu. Dyna pryd y clywodd lais Sothach yn bloeddio'n wallgof dros y castell. Roedd rhywbeth wedi ei gwneud yn flin iawn, ac yn ôl yr hyn a glywai, fo, Sglyfath a gâi'r bai . . . A wel mae'n siŵr fod rhyw fantais mewn bod yn sownd mewn cawell a neb yn gallu eich helpu . . . O leiaf, roedd yn saff rhag dicter Sothach.

Ar ôl tair awr o sgrechian gwallgof, er mawr ryddhad i bawb, mi flinodd Sothach. Doedd hi byth wedi cael hyd i Sglyfath, felly yr unig beth y gallai feddwl amdano oedd rhoi'r ffon hud ar gadair Sglyfath yn y gegin, fel mai dyna'r peth cyntaf y byddai Sglyfath yn eistedd arno yn y bore. Byddai ei ben-ôl yn reit boenus am wedd-ill y bore. Doedd o ddim yn dric ofnadwy o dda—yn wir roedd yn hen fel pechod, ond am bedwar o'r gloch y bore, ni allai Sothach feddwl am syniad gwell. Aeth i'w gwely wedi hen ddiffygio. Gwelodd fod hwnnw'n dal yn wlyb, a chafodd noson anghyfforddus yn ceisio cysgu ar y soffa.

Dal Sothach

Lle yn y byd oedd hi? Roedd yn rhaid iddo ddod
o hyd i ffon Hud. Chwiliodd Sniffyn ym mhob
man. Mae'n rhaid mai yn y gegin y collodd Hud
hi, felly cyn i bawb arall godi, mentrodd Sniffyn
i'r gegin cyn i Pwdryn gyrraedd. Dyna lle'r
oedd Sothach yn rhochian cysgu ar y soffa.
Byddai'n rhaid iddo fod yn ofalus iawn, iawn.
Edrychodd Sniffyn ar y llawr, edrychodd dan y
carped . . . Edrychodd drwy'r cypyrddau,
edrychodd yn y stôf . . . Chwiliodd ym mhob man,
ond nid oedd golwg o'r ffon hud. Cerddodd yn
benisel tua'r drws a heibio i gadair Sglyfath.
Edrychodd ar y gadair fawr a meddwl mor
rhyfedd ydoedd fod Sglyfath dan glo yn ei gas-
tell ei hun. Yn sydyn, gwelodd rywbeth yn
sgleinio ar gadair Sglyfath . . . doedd bosib . . .
oedd, dyna lle'r ydoedd! Roedd wedi dod o hyd
i ffon Hud! Cydiodd ynddi a mynd ar ras i gan-
fod Hud.

Petai Sniffyn wedi rhoi modrwy aur a gardd
o rosod yn anrheg i Hud, ni allai fod wedi ei
phlesio'n fwy. Roedd hi wedi dychmygu fod y
ffon wedi diflannu am byth.

'Nawr,' meddai wrth Sniffyn gyda gwên

lydan. 'Mae modd i ni feddwl o ddifri am adael y lle yma.'

Gofynnodd Hud i rywun ei thywys i'r Stafell Berig iddi gael gweld cyfrifiadur Sglyfath. Os mai'r cyfrifiadur oedd yn gyfrifol am ddod â'r plant *i'r* castell, siawns nad oedd modd ei ddefnyddio i gael y plant *o'r* castell. Meddyliodd Sniffyn mai gwell fyddai rhybuddio Hud yn gyntaf.

'Mae yna *un* broblem, fach, Hud,' meddai Sniffyn.

Ochneidiodd Hud:

'A beth yw honno?' gofynnodd.

'Does gan yr un ohonom syniad sut i weithio'r cyfrifiadur.'

Disgynnodd wyneb Hud. Wyddai hi ddim beth i'w ddweud. Doedd hi ddim wedi arfer delio â sefyllfaoedd fel hyn—roedd y cyfan yn ormod iddi. Er hyn, meddyliodd y dylai gael gweld y peiriant, rhag ofn fod gobaith gwneud rhywbeth ag o.

'Mae Sothach yn dal i beri pryder i mi,' meddai Hana. 'Fydda i ddim yn dawel fy meddwl nes ei rhoi hi dan glo hefyd.'

'Digon gwir,' meddai Sniffyn.

Bu Hud yn dawel am dipyn. Byddai'n dipyn o drafferth hudo Sothach i'r Stafell Ddial i'w rhoi mewn cawell fel y gwnaeth y plant gyda Sglyfath. Rhaid oedd meddwl am ryw syniad arall . . .

'Beth mae Sothach yn hoff ohono?' holodd

Hud.

'BWYD!' atebodd y plant i gyd gyda'i gilydd.

'Wel, falle y bydde hynny'n haws . . . ' meddyliodd Hud yn uchel.

'Yn lle ceisio mynd â Sothach at gawell, falle y byddai'n haws dod â chawell at Sothach . . . Fe allem ni ei llenwi â bwyd, ac yna cloi Sothach ynddi.'

'Mae'n syniad gwerth rhoi cynnig arno,' meddai Sniffyn a gofynnodd i ddau neu dri o'r plant fynd i lawr i nôl cawell. Roedd digon o gewyll gwag y tu allan i'r Stafell Ddial. Cael rhywun i fynd yno oedd y broblem. Roedd ar Hana, a'r lleill oedd wedi cael eu cadw yn yr Ystafell Ddial, ormod o ofn mynd yn agos i'r lle. Roedd eraill yn bryderus y byddai Sglyfath yn canfod ffordd allan ac yn eu dal. O'r diwedd cynigiodd Rwth a Moses John i fynd i'w nôl ac i ffwrdd â nhw.

Daethant yn ôl â chawell gref, ac fe'i gosodwyd ar raff yn sownd yn y nenfwd ger y bwrdd yn y gegin. Rhoddwyd Hud ar dop y gawell gyda chyllell yn barod i dorri'r rhaff pan ddeuai Sothach oddi tani. Cawsant gryn drafferth i ddod o hyd i unrhyw fwyd blasus, ond rhoddwyd yr hyn oedd yn fwytadwy ar y bwrdd. Rhoddodd Sniffyn Stwmp yng nghanol y bwyd.

'Beth ydw i i fod i'w wneud?' gofynnodd Stwmp yn hurt.

'Dweud popeth wyt ti wedi bod eisiau ei

ddweud wrth Sothach erioed—yn ei hwyneb,' meddai Sniffyn, efo gwên.

'Ond mi lladdith hi fi!' crawciodd Stwmp.

'Dim os neidi di o'r ffordd yn ddigon cyflym,' meddai Sniffyn.

Ar hynny, clywyd drewdod Sothach yn nesáu, a rhedodd pawb i guddio.

'Bwyd, bwyd, bwyd!' meddai Sothach wrth ddod drwy'r drws. 'Oes yna rywbeth gwerth ei fwyta yma?'

'Dydych chi ddim yn meddwl eich bod yn hen ddigon tew yn barod?' meddai llais cras o ganol y tatws.

'Am datws digywilydd,' meddai Sothach a rhoi dwy neu dair yn ei cheg. Sbonciodd Stwmp o'r ffordd yn sydyn.

'Rhyw dipyn o deisen hufen fyddai'n dda . . . a sosejan yn ei chanol,' meddai Sothach gan lenwi ei cheg nes bod ei bochau fel balŵns.

'Bwytwch ragor ac mae 'na beryg i chi fyrstio,' meddai Stwmp, yn magu hyder.

Edrychodd Sothach o'i chwmpas mewn pen-bleth. Pwy oedd yn meiddio siarad â hi yn y fath fodd? Tu ôl i'r pwdin siwat, roedd Stwmp yn ysu am gael dangos ei hun. Rhoddodd naid anferth i'r awyr gan dasgu'r pys, y saim a'r siwat i wyneb Sothach.

'Ffothach!' meddai Sothach, yn gweld dim. 'Radeg honno, gwelodd Hud ei chyfle; torrodd y rhaff, a syrthiodd y gawell yn dwt ar ben Sothach. Ni allai Sothach weld beth oedd yn

digwydd. Y cyfan a wyddai oedd na allai droi
i'r dde nac i'r chwith. Roedd ei breichiau yn
sownd wrth ei hochr. Ni allai godi ei llaw i
lanhau ei hwyneb hyd yn oed. Roedd Sothach
yn rhy dew a'r gawell yn rhy fach. Pan sylwedd-
olodd ymhen hir a hwyr beth oedd wedi
digwydd iddi, rhoddodd y bai yn syth ar
Sglyfath.

'Sglyf . . . os mai ti wnaeth hyn, gwell i ti
ddod i'r golwg yr eiliad yma! Mae pethau wedi
mynd yn llawer rhy bell. Un peth ydi rhyw dric
bach diniwed ag ysbrydion; mae gwlychu'r
gwely yn dipyn mwy difrifol, ond mae cloi dy
wraig mewn cawell yn rhy ddrwg hyd yn oed i ti

gael ei wneud. Sglyf . . . Sglyfath!! Wyt ti'n fy nghlywed??? SGLYFATH!! Ateb fi, y bwbach creulon! ATEB!'

Ond wrth gwrs, ni allai Sglyfath ateb. Doedd o ddim yn ei chlywed. A hyd yn oed petai'n gallu ei chlywed, ni allai wneud dim byd gan ei fod yntau hefyd yn sownd mewn cawell. A hyd yn oed pe na bai mewn cawell, go brin y byddai'n ei helpu.

Gadawyd Sothach i strancio nes bod ei hwyneb hyll yn biws.

Mynd Adref

'Reit, gawn ni fynd i'r Stafell Berig *rŵan* 'ta?' holodd Hud gan feddwl faint yn rhagor o bobl annymunol yn y castell oedd yn rhaid eu rhoi mewn cewyll.

Penderfynwyd y byddai Caswallon, Hana, Sniffyn a Brensiach yn dod gyda Hud, ac i ffwrdd â hwy. Y peth cyntaf oedd yn eu croesawu oedd môr o driog. 'Nid y ni roddodd y triog ar y llawr,' eglurodd Hana. 'Sothach ddaru luchio hwnnw pan oedd hi wedi gwylltio efo Sglyfath.'

'Hitiwch befo am y triog, fyddwn ni fawr o dro yn clirio hwnnw,' meddai Hud, gan feddwl mai llawr a'i lond o driog oedd y lleiaf o'i phroblemau. 'Rydw i'n poeni mwy am hwn,' meddai, gan syllu ar y cyfrifiadur.

Edrychai'r cyfrifiadur mor fawr a Hud druan mor fach. Pa obaith oedd ganddi i wneud pen na chynffon ohono? Tra oedd y lleill yn glanhau'r triog, dringodd Hud i ben cadair i gael gwell golwg ar y peiriant. Oedd, roedd o'n beiriant anferth. Cymerodd ei hamser i ar-chwilio'r cyfrifiadur yn iawn, cerddodd o'i amgylch sawl gwaith gan ysgwyd ei phen yn arw.

'Bydd yn rhaid i mi gysylltu â Dodo Hud,' meddai Hud gan estyn ffôn bach o'i phoced, a siarad i mewn iddo:

'Dodo Hud . . . Tamebacho Hud sydd yma— am gael eich cyngor . . . Ia, rwy'n gwybod y dylwn i fod adre ers tro, ond mae pethau wedi bod braidd yn anodd . . . Tasg arall?? Ond dydw i ddim wedi gorffen hon eto! . . . Ia, wel falle eu *bod* nhw'n poeni, ond os ydyn nhw wedi poeni cyhyd am eu plant, wnaiff 'chydig mwy o oriau ddim gwahaniaeth . . . Sori, mae'n ddrwg gen i am siarad fel yna, Dodo Hud . . . Na! wnaf i ddim eto—rwy'n addo . . . Ia, yr hyn ro'n i *eisiau* ei ofyn oedd—Allwch chi ddefnyddio ffon hud i weithio cyfrifiadur?'

Daliodd y gweddill eu gwynt yn eiddgar am yr ateb.

'Cyfrifiadur . . . Wel, mae o'n eitha mawr— mae o tua hanner can gwaith fy maint i . . . O'r gorau, dim ond gofyn ddaru mi!—dydi o ddim y gwestiwn mor hurt â hynny . . . Sori, mae'n ddrwg-gen-i-am-siarad-fel-gwnes i. Diolch yn fawr. Ta ta.'

A chadwodd Hud y ffôn hud.

'Wel . . . ??' gofynnodd Hana.

'*Ydi* ffon hud yn gallu gweithio cyf-rifiaduron?' gofynnodd Sniffyn.

Aeth Hud o gwmpas y peiriant eto.

'Peidiwch â gofyn cwestiynau gwirion,' meddai, 'wrth gwrs wnaiff ffon hud ddim gweithio cyfrifiadur mor fawr â hwn. Bydd yn rhaid i mi gael rhyw fath o offer.'

Daeth Sniffyn i'r casgliad nad oedd ffon hud yn fawr o werth.

'Sut fath o offer ydych chi eisiau?' gofynnodd Sniffyn.

'Wel, sgriwdreifar, bolltiau, morthwyl, pleiars . . . unrhywbeth.'

'Pwdryn sydd yn cadw pethau felly—yn y gegin,' cofiodd Sniffyn.

Mentrodd pawb i'r gegin gyda'i gilydd gan fod cymaint o ofn arnynt, ac yn ffodus, doedd Pwdryn ddim o gwmpas. Roedd Sothach yn chwyrnu cysgu yn y gawell. Edrychodd pob un ym mhob twll a chornel, ond doedd dim sôn am focs offer yn unman.

'Sut fath o ddyn ydi'r Pwdryn 'ma?' holodd Hud yn flin.

'Dyn rhyfedd iawn,' meddai Caswallon.

'Lle fyddai rhywun yn disgwyl dod o hyd i sgriw yma?' gofynnodd Hud wedyn.

'Mewn bynsen fel arfer,' atebodd Hana.

'Mae'r lle 'ma'n mynd yn rhyfeddach,' meddai Hud, 'ond dyna fo, os mai mewn byns mae'r dyn hwn yn cadw ei offer, bydd rhaid chwilio ym mhob byn . . .'

'. . . A phob cacen a phastai,' ychwanegodd Sniffyn. 'Synnech chi beth ffeindiais i mewn pastai yma.'

'Beth oedd hwnnw?' holodd Hud.

'Llyffant,' meddai Sniffyn.

Y tro hwn, ddaeth neb o hyd i lyffant mewn pastai, ond daethant o hyd i lawer o bethau defnyddiol eraill. Mewn torth o fara, daeth Caswallon o hyd i sgriwdreifar; cafwyd morthwyl mewn pwdin reis, llif mewn llymru; pleiars mewn prŵns a llond gwlad o hoelion a springs a bondibethma. Daeth pawb a'r offer i'r Stafell Berig lle dechreuodd Hud ar ei gwaith. Er i bawb arall gynnig helpu, roedd Hud yn berffaith hapus ar ei phen ei hun. Ac roedd y gweddill yn falch iawn o hynny gan nad oedd gan yr un ohonynt y syniad lleiaf beth i'w wneud â'r cyfrifiadur.

'Waeth i mi heb,' meddai Hud, ymhen dipyn, gan sychu'r chwys oddi ar ei thalcen. 'Mae tu mewn hwn yn fwy dyrys nag ymysgaroedd bwndlhingen.'

Edrychodd y lleill ar ei gilydd a phenderfynu dweud dim.

Edrych ar y cyfrifiadur wnaeth Hud. Mae'n rhaid fod ffordd o weithio'r peiriant. Doedd sgriwdreifar ddim yn dygymod o gwbl ag o. Gwasgodd Hud fotwm fan yma a botwm fan draw. Weithiau byddai'n cael ymateb ar y sgrin, dro arall, doedd dim i'w weld. Pam oedd yn rhaid i bobl greu pethau mor gymhleth?

Wedi blino aros, closiodd y plant o gwmpas Hud a syllu ar y peiriant. Roeddent wedi hen arfer â chyfrifiaduron yr ysgol, ond roedd hwn gymaint â stafell ddosbarth.

'Mae'n bosibl . . .' meddai Hud, 'fod gan y

peiriant hwn enw. Taen ni'n canfod *enw'r* cyfrifiadur falle y byddai'n fwy parod i siarad â ni.'

'Ddylai hynny ddim bod yn amhosibl,' meddai Stwmp yn hyderus.

'Rho gynnig arni 'te,' meddai Hud. 'Rydw i wedi rhoi cynnig ar bob enw y gallaf fi feddwl amdano.'

'Pwmp,' meddai Stwmp, ac edrychodd pawb yn rhyfedd arno.

'Pa fath o enw ydi hwnnw?' gofynnodd Hana. 'Beth am Goliath? Dyna fyddwn i'n galw peiriant fel hwn.'

Sillafodd Hud **Goliath** ond ni ddaeth unrhyw ymateb gan y peiriant.

'Pethau hyll mae Sothach yn eu hoffi,' meddai Sniffyn. 'Beth am **Berti Budr**?'

'Syniad da,' cytunodd pawb, a dyma roi cynnig ar yr enw hwnnw. Roedd y sgrin yn gwbl dywyll.

Erchyll, Smotyn, Afiachbeth, Gwallgofulw
. . . meddyliodd pawb am yr enwau gwaethaf posibl, ond ni chafwyd unrhyw lwc.

'Dydi Sglyfath ddim yn licio pethau hyll,' meddai Caswallon ymhen hir a hwyr, 'neu mi fydde fo'n licio Sothach!'

'Beth yw dy gynnig di, 'te?' gofynnodd Hud. Roedd yn dechrau blino ar y dyfalu.

'**Medrith** faswn i yn ei alw fo,' meddai Caswallon ar ôl meddwl, 'am y medrith o wneud popeth.'

M-e-d-r-i-t-h, sillafodd Hud. Yr eiliad honno, daeth golau ar y sgrin.

Bron iawn, meddai'r peiriant.

Lledrith! dyfalodd Hud, a newid y sillafiad.

Gwnaeth y peiriant sŵn rhyfedd—sŵn fel cath drydan yn canu grwndi. **Lledrith yw fy enw**, meddai'r geiriau ar y sgrin.

'HWRÊ!' bloeddiodd pawb dros y stafell.

'Dyna ni wedi canfod yr allweddair,' meddai Hud â gwên fawr ar ei hwyneb. 'Nawr, mae modd i ni siarad â'r peiriant. Gyda Hud a Lledrith yn cydweithio, siawns na allwn ni wneud un neu ddau o wyrthiau.'

Mae angen anfon y plant adref, sillafodd Hud ar y peiriant, cyn ychwanegu y gair hollbwysig, **Sut**?

Disg 37, oedd ateb y peiriant.

Bu chwilio dyfal am Ddisg 37 ac wedi cael hyd iddo, datgelwyd y gyfrinach hir-ddisgwyliedig ar y sgrin.

Yn eisiau—Fferins Fflïo, meddai'r peiriant.

'Fferins Fflïo? Beth yn y byd ydi'r rheini?' gofynnodd Hud.

Chwiliwyd o gwmpas yr ystafell, ond methwyd yn lân â dod o hyd i unrhyw fferins.

'Taswn i'n Sglyfath, lle faswn i'n cadw fferins?' dyfalodd Caswallon.

'Yn sownd dan fy nghadair!' meddai Sniffyn mewn fflach o ysbrydoliaeth.

Edrychwyd dan y gadair, ac yn wir, dyna lle'r oedd amryw o fferins dieithr yr olwg mewn lliwiau rhyfedd.

'Mae'n rhaid i chi roi un o'r rheini yn eich ceg,' meddai Hud.

'Pwy ydi'r cyntaf?'

'Y cyntaf i beth?' meddai Caswallon yn amheus.

'I fynd adre siŵr iawn,' meddai Hud.

Roedd pawb ar fin gweiddi 'Fi!' dros y lle, pan ddaru nhw frathu eu tafodau mewn pryd. Doedd neb eisiau bod y cyntaf gan na wyddent yn iawn beth oedd yn mynd i ddigwydd. Roedden nhw wedi cael digon o brofiadau o bethau yn mynd o chwith yn Gyrn Wigau heb sôn am wirfoddoli am ragor. Ni chododd neb ei ddwylo.

'Radeg honno y cododd Hud a cherdded tua'r drws.

'Pam na fyddech chi wedi dweud wrtho i nad oeddech chi eisiau mynd adref *cyn* i mi fynd i chwysu o flaen yr hen gyfrifiadur yna?' Roedd yn swnio'n reit flin.

'AROS! Aros, Hud . . . Wrth gwrs ein bod ni eisiau mynd adref . . . ' meddai Sniffyn.

Stopiodd Hud, ac nid oedd Sniffyn yn siŵr iawn sut i orffen y frawddeg, '. . . jest, wel, jest ein bod ni ofn i bethau fynd o chwith.'

'Fedrwn ni ddim dweud hynny tan *ar ôl* iddyn nhw fynd o chwith, na fedrwn?' meddai Hud, a gwyddai pawb mor wir oedd hynny.

Hana druan gytunodd i wirfoddoli yn y diwedd. Rhoddodd fferin yn ei cheg a safodd ar ganol llawr yr ystafell yn edrych yn bryderus iawn tra oedd Hud, Caswallon a Sniffyn yn ceisio gwneud synnwyr o'r botymau.

'Reit dechreua sipian y fferin a bydd yn barod i hedfan,' meddai Hud.

'Sut wyt ti'n teimlo, Hana?' gofynnodd Sniffyn.

'Fel person ar fin cael ei anfon i'r lleuad,' meddai Hana.

Roedd gan Sniffyn biti drosti. Byddai wedi caru cynnig mynd yn ei lle, ond roedd yn rhy nerfus.

'Mi fyddwn *i* yn meddwl mai hwnna fyddai'r botwm iawn i'w bwyso os am anfon plentyn adre,' meddai Hana, yn pwyntio at un o'r botymau mwyaf.

'Mi ddywedwn i mai *hwn* ydi o,' meddai Caswallon yn pwyntio at un arall.

'Beth am hwn?' meddai Sniffyn, yn pwyntio at fotwm arall eto. Dim ond dyfalu oedd pawb.

'Rydw i'n meddwl eich bod i gyd yn rwdlan,' meddai Brensiach. 'Dydi Sglyfath erioed wedi anfon plentyn adre, felly fydda fo ddim angen y fath fotwm ar ei gyfrifiadur.' Roedd Brensiach yn gallu synnu pawb weithiau.

'Digon gwir,' meddai Hud, 'ond mi ddaru Sglyfath ddefnyddio'r peiriant hwn i ddwyn plant, ac os gallwn ni ganfod sut gwnaeth o hynny, a gwneud y broses o chwith, mae 'na siawns y llwyddwn i'ch cael chi adref.'

Wedi dipyn o bendroni, cafodd Hud ddigon.

'Allwn ni ddim dyfalu fel hyn am byth. Dwi'n mynd i bwyso'r botwm hwn i weld beth ddigwyddith.' Ac yn wir i chi, pwysodd Hud y botwm a'r eiliad honno, diflannodd Hana.

'Mae Hana wedi mynd!' meddai Caswallon yn gegagored.

'Dydi hynny ddim yn fy synnu,' meddai Hud, yn ceisio dangos ei bod yn gwybod beth oedd yn digwydd, 'y cwestiwn mawr yw i ble yr aeth hi . . .'

'Wel, adre gobeithio 'te?' meddai Brensiach.

'Gadwch i ni geisio cael sicrwydd o hynny,' meddai Hud. 'Ŵyr unrhyw un sut i gael llun ar y sgrin? Efallai y byddai hynny'n rhoi gwybod i ni.'

Ceisiodd Caswallon ei orau glas i gofio sut y llwyddodd i gael llun ar y sgrin y tro o'r blaen, ac o'r diwedd daeth o hyd i'r botwm iawn.

Stomp Go-Iawn

Tipyn o syndod i bawb oedd gweld y llun ddaeth ar y sgrin. Roedd Hana yn sefyll wrth ymyl bàth mewn ystafell molchi, ac roedd golwg bryderus iawn ar ei hwyneb. Gwyliodd y plant eraill hi'n agor y drws ac yn mynd i lawr y grisiau i'r ystafell fyw lle'r oedd llawer iawn o bobl mewn oed. Edrychodd pob un ohonynt arni fel petaent wedi gweld ysbryd. Disgwyliodd Hud yn eiddgar i un ohonynt afael ynddi a'i chofleidio'n dynn. Wedi'r cyfan, doedden nhw ddim wedi gweld eu merch ers amser maith. Cael gwneud pobl yn hapus oedd prif bleser gwaith Hud. Roedd o'n golygu trafferth mawr, a chaech chi ddim diolch yn aml, ond y diolch mwyaf oedd gweld gwên yn dod yn ôl ar wyneb digalon. Er mawr siom i Hud, ni ddigwyddodd hyn y tro yma. Doedd y bobl mewn oed ddim wedi symud fodfedd o'u cadeiriau, ac yr oeddynt yn dal i rythu ar Hana.

'Wel, dydi ei rhieni *hi* ddim yn falch iawn o'i gweld,' meddai Hud yn ddigalon.

'Efallai nad yw rhieni Hana yn rhai caredig iawn,' meddai Sniffyn yn tosturio mwy nag erioed dros ei ffrind.

'Byddai'n well petai wedi aros gyda ni 'te,' meddai Brensiach, yn methu deall beth oedd yr ysfa gan bawb i fynd adref, nawr fod Sothach a Sglyfath y saff dan glo.

'Wedi cael sioc maen nhw, siŵr o fod,' meddai Caswallon, yn ceisio dyfalu beth ddywedai ei rieni ef pan ddeuai adref. Yn rhyfedd iawn, edrychai mam Hana yn debyg iawn i'w fam ef. Yr un lliw gwallt oedd ganddi, yr un lliw llygaid, yr un wyneb. Yn rhyfeddach fyth, yr oedd tad Hana yntau yn debyg ofnadwy i'w dad ef. A'r peth rhyfeddaf oedd fod yna ddynes yr un ffunud â'i Anti Harriet yn eistedd ar y soffa. Yn wir, Anti Harriet oedd hi . . . Yn wir . . . ie! IE!

'MAM! DAD! ANTI HARRIET!' bloeddiodd Caswallon dros y lle, ond nid oeddynt yn ei glywed. Yr oedd eu sylw wedi ei hoelio ar y ferch ddieithr oedd wedi ymddangos o unman yn eu stafell fyw.

'O diar,' meddai Hud, 'mae'n bosib fod camgymeriad bach wedi digwydd . . . Dydi Hana ddim yn digwydd bod yn chwaer i ti?'

Ond roedd Caswallon wedi cynhyrfu gormod i wrando ar neb. Rhythai ar y sgrin gan sgrechian nerth ei ben ac roedd dagrau'n rhuthro i lawr ei fochau.

'MAM! DAD! Helpwch fi! HELP!' sgrechiai Caswallon.

'Bydd ddistaw Caswallon, i mi geisio gwneud pethau'n iawn. Rydyn ni wedi llwyddo i gael Hana o Gyrn Wigau, ac mae hynny ynddo'i hun yn dipyn o beth. Yn anffodus, dydi ddim yn edrych fel petaen ni wedi llwyddo i anfon Hana i'w chartref ei hun. Rydyn ni rywsut wedi ei hanfon i'r cartref anghywir. Dyna egluro pam mae'r bobl yma yn edrych mor syn ar Hana. Dydyn nhw erioed wedi ei gweld o'r blaen . . . Am y rheswm syml mai *rhieni Caswallon* ydyn nhw . . . O, diar mi . . . '

Bu Hud yn dawel am dipyn tra meddyliai beth fyddai'r peth gorau i'w wneud.

'Caswallon, rhaid i ni dy gael di adref mor

fuan â phosibl i ti gael ceisio egluro beth sydd wedi digwydd. Dos i sefyll i ganol y llawr ac mi geisiaf dy anfon di yno. Os byddi'n cyrraedd adref—eglura i dy rieni pwy ydi Hana, ac mi geisiwn ni ei chael hi'n ôl i'w chartref ei hun mor fuan â phosib.'

Cyn i Sniffyn gael dweud 'ta ta' wrtho, roedd Caswallon yntau wedi diflannu.

'Mi ddylai hyn fod yn ddiddorol,' meddai Hud gan edrych ar y sgrin.

Yn anffodus, ni chafodd Hud a Sniffyn weld yr olygfa yr oeddynt wedi disgwyl ei gweld.

Digwyddodd rhywbeth ofnadwy. Gwelwyd Caswallon, heb ddim mwy na thywel am ei ganol, yn sefyll ar ben bwrdd oedd wedi ei osod ar gyfer te mewn tŷ hollol wahanol. Roedd un droed wedi glanio ar gacen hufen anferth a'r llall mewn powlen jam. Roedd Caswallon wedi cochi o'i gorun i'w sawdl.

'Dyma beth yw embaras,' meddai Hud, yn cochi dipyn ei hun wrth edrych ar yr olygfa. 'I be oedd y creadur dwl eisiau glanio ar ben y bwrdd?'

'O, diar . . . mae'n rhaid fod Caswallon wedi cael ei yrru i gartref Hana,' meddai Sniffyn. 'Mae pethau'n mynd o ddrwg i waeth. Dydi'r rhieni yna ddim i weld yn bobl glên o gwbl.'

Edrychodd ar y wraig yn rhoi cerydd i Caswallon druan, ac ar lygaid Caswallon yn llenwi â dagrau. Dyna ryfedd, roedd y wraig yn siarad Saesneg . . . Syllodd Sniffyn yn fwy

craff ar y sgrin. Roedd rhywbeth cyfarwydd
ynglŷn â'r olygfa hon, er nad oedd ef erioed
wedi bod yng nghartref Hana.

'Jessica Hyde!' meddai Sniffyn yn sydyn gan
gofio. 'Nid cartref Hana yw hwnna . . . Cartref
Jessica Hyde ydi o . . .'

Rhoddodd Hud ei phen i lawr. Roedd pethau'n
mynd o chwith, yn erchyll o chwithig. Roedd

hi'n suddo'n ddyfnach ac yn ddyfnach i dra-
fferthion a doedd ganddi mo'r syniad lleiaf sut
i'w datrys.

Bu Sniffyn yn garedig iawn wrthi. Eglurodd
yr hanes am Hana ym mharti Jessica Hyde. O'r
fan honno y cipiwyd Hana. Mae'n amlwg fod
y plant yn cael eu danfon yn ôl i'r fan o ble caw-
sant eu cipio gan Sglyfath. Yr unig drafferth
oedd mai nid yr un plant oeddynt, ac felly
roedd yn peri dryswch mawr. Roedd y plant
anghywir yn cael eu gyrru i'r cartrefi anghywir.
Roedd Hana wedi cyrraedd cartref Caswallon,
a doedd gan neb syniad pwy oedd hi . . . Roedd
Caswallon wedi cael ei anfon i gartref Jessica
Hyde ac wedi glanio ar ben bwrdd bwyd . . . Ar
y llaw arall, yr oedd rhieni Hana a Caswallon
yn dal i bryderu am eu plant gan nad oeddynt
wedi dod i'r golwg. Ceisiodd Sniffyn gysuro
Hud.

'O leiaf, rydych wedi eu cael o Gyrn Wigau.
Maen nhw'n siŵr o ganfod eu ffordd adre
rywsut.'

'Gobeithio wir,' meddai Hud, 'neu mi fydda i
allan o waith. Beth wna i â phawb arall?'

'Mi ddown i ben rywsut,' meddai Sniffyn, er
nad oedd yn siŵr iawn sut. 'Mae Sam a min-
nau'n adnabod ein gilydd p'run bynnag, felly
gallwn ddod o hyd i dŷ'r naill a'r llall yn
rhwydd.'

'Os mai yno y cyrhaeddwch,' meddai Hud.
'Mae gen i ofn pwyso'r botwm eto a gweld beth

fydd yn digwydd. A deud y gwir, mae gen i flys defnyddio'r ffon hud. Fedra i ddim gwneud mwy o lanast nag ydw i wedi ei wneud eisoes.'

'Gobeithio'r gorau!' gwaeddodd Sniffyn.

Ar hynny, cododd Hud ei ffon a'i throi deirgwaith. Yr eiliad honno, newidiodd Caswallon le gyda Hana, ac er bod Hana yn gwaredu ei bod wedi glanio ar fwrdd Mrs Hyde am yr *ail* waith, o leiaf fe wyddai lle'r ydoedd.

Meddai Hud, 'Sniffyn, os byddi di yn canfod dy ffordd i'r tŷ iawn, wnei di godi dy fodiau a throi bodiau dy draed? Mi allaf fod yn dawel fy meddwl wedyn.'

'Paid â phoeni,' meddai Sniffyn, 'ond mi garwn ddweud ffarwél wrth bawb gyntaf.'

'O'r gorau, ond brysia,' meddai Hud. 'Mae gen i lawer o waith i'w wneud.'

Aeth Sniffyn i'w ystafell am y tro olaf, a dweud yr hanes wrth y plant oedd yn aros. Rhyw gymysgedd o ofn a rhyddhad a gafwyd yn eu mysg. Ceisiodd Sniffyn ddweud wrthynt y byddai popeth yn iawn. Daeth Hergwd Sgerbwd a Stwmp gydag ef yn ôl i'r Stafell Berig. Cofleidiodd Hergwd ef, a phrofiad rhyfedd i Sniffyn oedd cael ei gofleidio gan sgerbwd. Profiad rhyfeddach oedd cael ei gofleidio gan Brensiach—theimlodd o ddim byd.

'Diolch am bopeth,' meddai Sniffyn, gan

geisio cofio popeth oedd ganddo i'w ddweud. 'Gobeithio na ddaw Sothach a Sglyfath yn rhydd . . . a wel, gobeithio na fydd Pwdryn yn flin iawn . . . '

'Paid â phoenig amdanom nig. Byddwn yn giawn,' meddai Hergwd Sgerbwd. Erbyn hyn, roedd yr allwedd aur yn ôl am ei wddf.

'Ia, edrych ar ôl dy hun,' meddai Brensiach. Bu bron iddi roi anrheg i Sniffyn. 'Mi garwn i roi hwn i ti,' meddai gan ddangos y gêm asgwrn iddo, 'ond mi rydw i eisiau ei gadw fy hun mae arna i ofn.' Byddai Sniffyn wedi bod wrth ei fodd yn cael y gêm, ond cofiodd fod ganddo ddigon o deganau adref, ac mai dyna'r unig degan oedd gan Brensiach. Cododd Sniffyn Stwmp yn ei law a mynd ag o at Hud.

'Mae Stwmp yn dod gyda mi,' meddai Sniffyn.

'Waeth gen i pwy sy'n dod efo ti,' meddai Hud. 'Ond paid â 'meio i os byddwch chi'ch dau yn canfod eich hunain ar waelod gwely afon yng nghartref Stwmp . . . '

Doedd Sniffyn ddim wedi meddwl am hyn, ac roedd ar fin stopio Hud, ond roedd yn rhy hwyr. Llanwodd pob man â niwl trwchus gwyrdd a chanfu Sniffyn ei hun yn troi a throi fel top. Mewn eiliad roedd y niwl wedi clirio a'i draed yn solet ar lawr . . .

Cyrraedd Adref

Edrychodd Sniffyn dan draed. Roedd yn dal yn ei slipars ond roedd yn sefyll ar bafin. Wyddai o ddim ble yr oedd. Y funud honno, digwydd-odd rhywbeth dychrynllyd . . . ymddangosodd haid o blant ysgol gan lenwi'r stryd. Roedd yn rhaid i Sniffyn guddio yn sydyn, ond ymhle? Dim ond polyn lamp oedd yna, ac er iddo geisio

cuddio y tu ôl iddo, fe welodd y plant ef yn rhwydd a dechreuodd pob un wneud sbort ar ei ben.

'Ha ha—rwyt *ti* braidd yn hwyr yn codi,' meddai un bachgen bach yn hy.

'Hi hi—pwy sy'n trio guddio tu ôl i bolyn lamp?' meddai merch â choesau hir.

Nid oedd Sniffyn erioed wedi teimlo mor wirion. Beth oedd o'n ei wneud allan ar y ffordd yn ei ddillad nos . . . ? Oedd o'n breuddwydio, neu oedd o'n dechrau colli ei bwyll? Rhoddodd ei law yn ei boced a theimlodd rywbeth dychrynllyd o anghynnes. Daeth pen llyffant i'r golwg.

'Stwmp!' meddai Sniffyn mewn syndod, a'r eiliad honno, daeth y cyfan yn ôl iddo. Roedd o wedi dianc o Gyrn Wigau! Doedd o ddim adref, ond o leiaf roedd o wedi dianc o'r castell erchyll. Ble'r oedd o? Edrychodd ar y plant yn mynd i lawr y lôn. Nid plant o'i ysgol ef oeddynt. Ac eto, roedd o wedi gweld y wisg o'r blaen . . . Ymhle tybed?

'Stopiwch!' gwaeddodd ar y plant, 'Da chi—helpwch fi!'

Dim ond un plentyn bach a stopiodd, y ferch leiaf un. Cerddai ar wahân i'r plant eraill, ac roedd ei hwyneb yn drist ddychrynllyd. Rywfodd, roedd yn wyneb cyfarwydd, meddyliodd Sniffyn.

'Esgusodwch fi,' meddai Sniffyn, 'ond ydi'r enw Dorcas yn golygu unrhyw beth i chi?'

Synnodd Sniffyn o weld y ferch yn syrthio ar ei chefn mewn llewyg.

Lois oedd enw'r ferch, ac wedi i Sniffyn ddeall, roedd yn chwaer i Dorcas. Cafodd Sniffyn fynd i'w chartref lle cafodd gyfarfod teulu Dorcas a dywedodd yr hanes i gyd wrthynt. Roeddynt yn pryderu'n ofnadwy.

'Ond ble mae Dorcas nawr?' gofynnent.

'Mae'n ddigon posib,' meddai Sniffyn, 'ei bod yn fy nhŷ i yn eistedd mewn cadair freichiau, ac yn methu deall lle mae hi.'

'Oes modd cael gafael arni?' gofynnodd y tad. 'Mi rydw i'n fodlon gwneud unrhyw beth . . .'

'Fydd dim angen i chi neud d . . .' meddai Sniffyn, ond ni chafodd gyfle i orffen ei frawddeg. Roedd Hud ar waith yn cyfnewid Sniffyn a Dorcas.

Pan agorodd Sniffyn ei lygaid, canfu ei hun mewn hen gadair freichiau gyfforddus, ac am y tro cyntaf, nid oedd y ffaith ei fod yn gwisgo côt wely a sliperi yn gwneud iddo deimlo'n rhyfedd.

Roedd o adref.

Cododd ei fodiau, a throi bodiau ei draed, gan deimlo'n rhyfedd for Tylwyth Teg ymhell i ffwrdd yn ei wylio.

Wrth draed Sniffyn roedd cwpan wag. Yr ochr arall roedd potel ddŵr poeth wedi oeri. Yr unig beth gwahanol y tro hwn oedd fod llyffant byw yn ei boced, yn crynu'n aflonydd.

Yn nwylo Sniffyn yr oedd llyfr. Roedd ar fin troi tudalen pan feddyliodd efallai y byddai'n well iddo beidio . . .

NODYN

Treuliodd Angharad Tomos dri mis yn awdur preswyl ym Mharc Glynllifon fel rhan o'r cynllun **Llenorion Gwynedd: Moliant Gweledol** yn ysgrifennu'r nofel hon ar wahoddiad Cyfeillion Glynllifon. Dymunwn ddiolch i Gymdeithas Celfyddydau'r Gogledd a Chyngor Sir Gwynedd am eu nawdd hael i'r fenter.

Hefyd gan Angharad Tomos:

SI HEI LWLI
Mae dwy ferch yn gwneud yr un daith mewn car, ond ar gyflymderau gwahanol; mae pellter oes yn eu gwahanu ond am ennyd, cyll amser ei rym . . .; y nofel a enillodd y Fedal Ryddiaith ym 1991—bythgofiadwy!
0 86243 251 0 £3.95

HEN FYD HURT
Storïau am ferch ddiwaith a'i dadrithiad gyda'r byd a'i anghymreictod–nes iddi glywed llais Llywelyn yn ei hannog i weithredu . . .
0 86243 275 8 £3.95

YMA O HYD
Nofel am fywyd mewn carchar merched ac am deimladau cymysg a chignoeth Cymraes yn y fath le; enillodd wobr yr Academi Gymreig.
0 86243 106 9 £3.95

CYFRES RWDLAN
Y gyfres fwyaf boblogaidd erioed, efallai, o lyfrau i blant bach; cyhoeddwyd 12 o deitlau hyd yma yn y gyfres ei hun gydag eitemau atodol fel cardiau, jig-sôs, llyfr canu a thâp, a'r llyfrau LLANAST a SMONACH; cyfieithwyd i ieithoedd Celtaidd eraill.
Teitlau'r gyfres: £1.95 yr un

Am holl fanylion ein llyfrau i blant ac oedolion, mynnwch gopi o'n Catalog rhad, 80-tudalen. Anfonwch air yn awr neu ffoniwch Y Lolfa!

Teitlau eraill yng Nghyfres Cled: